Ann Boroch

Libre de esclerosis múltiple

Cuidados, desintoxicación y plan
nutrimental para la recuperación total

Ann Boroch

Libre de esclerosis múltiple

Cuidados, desintoxicación y plan
nutrimental para la recuperación total

A mi madre:
mi Peñón de Gibraltar,
y para todos aquellos héroes que tuvieron el valor
y la tenacidad para enfrentar y conquistar
la enfermedad.

Índice

Reconocimientos

Este libro es producto de mucho tiempo de trabajo, reelaboración y edición, y estoy muy agradecida con todos los que me han ayudado a darle forma:

- Mónica: gracias por convertir mi visión del libro en realidad.
- Allison: gracias por tu creatividad con la portada.
- Bob: por la producción y el diseño.
- Rena y Sarah: por la edición cuidadosa y el ojo de águila.
- Nigel: por ser mi guía para lograr que este libro fuera publicado.

Mi viaje ha sido bendecido con mucho apoyo a lo largo del camino. Quiero expresar mi sincero agradecimiento:

- A todos mis amigos, maestros y profesionales de la salud que me han ayudado a llegar hasta aquí.
- A mis pacientes, que me han enseñado lo mejor de mí.
- Al doctor William Crook, quien fue un modelo de valentía al escribir su verdad y de esa manera ayudar a muchos.
- Al doctor Bob; tú eres una luz brillante. Gracias por estar ahí y apoyarme durante todo este viaje curativo.
- A Peter; aclaraste el panorama y me diste confianza para ser una gran curadora.
- A Linda, por acompañarme en mis días más oscuros.
- A Josh, por tu ayuda y fe en el trabajo que hago ahora.
- A Mamá; eres mi animadora más importante y siempre has estado conmigo.
- A Irene, por tu leal apoyo.
- A Jasmine, porque sin ti no habría esperanza o luz al final del túnel. Estoy eternamente agradecida por tu magnífico don.

Prólogo

La verdadera sanación es como pelar una cebolla. No hay una causa general de todas las enfermedades y las diferentes capas son distintas para cada individuo.

Como autora de veinticinco libros acerca de salud y curación, creo con todo mi corazón y mi alma que existe una respuesta para cada padecimiento, simplemente tenemos que buscarla en el lugar adecuado. El cuerpo es un sistema increíble con una capacidad infinita de curarse, siempre y cuando disminuyamos nuestra carga de toxinas, lo nutramos y le demos el ambiente correcto para que se regenere.

Las malas noticias son que hoy vivimos en un mar de toxinas que nos hacen gordos y nos enferman. Por primera vez en la historia, el cáncer superó las enfermedades cardiacas como la primera causa de muerte en Estados Unidos en 2004.

De acuerdo con el National Cancer Institute, existen más de 100 mil químicos que los estadounidenses utilizan en los limpiadores domésticos, solventes, pesticidas, aditivos alimenticios, jardinería y otros productos. Y cada año, se suman otros mil. Un nuevo químico se introduce en el uso industrial cada 20 minutos. La persona promedio que vive en Norteamérica en el siglo xx está contaminada con más de 500 toxinas industriales, de la mayoría de las cuales no ha se han hecho pruebas para determinar sus efectos nocivos. El CDC (Centro de Control y Prevención de las Enfermedades del gobierno de Estados Unidos) ha estado vigilando nuestras "cargas corporales" colectivas y ha encontrado que estamos cien por ciento contaminados.

En los últimos sesenta años, nuestro medio ambiente, dietas y estilos de vida han sufrido una revolución y han aplicado una enorme carga en los órganos desintoxicadores de nuestro cuerpo. Nuestros cansados y sobrecargados hígados son expuestos a más toxinas de las que pueden manejar; nuestros tractos gastrointestinales son lentos y están constipados sin el suficiente alimento rico en fibra; carecemos de los nutrientes básicos para el proceso desintoxicador del hígado, y las enzimas desintoxicadoras son inhibidas por los medicamentos comunes, el azúcar en exceso, la cafeína y los ácidos grasos trans.

Las estadísticas del cáncer han crecido entre 20 y 50 por ciento desde 1970. El cáncer de mama afectará a una de cada ocho mujeres estadounidenses, si llegamos a vivir lo suficiente. El asma se ha incrementado en 75 por ciento desde 1980. El diagnóstico de autismo ha crecido cerca de 20 por ciento cada año.

La diabetes tipo 2 es epidémica entre la gente joven que tiene alrededor de treinta años, mientras que la incidencia de las enfermedades autoinmunes como el lupus, la artritis reumatoide y la esclerosis múltiple se ha disparado hasta el cielo.

Por todo eso me da mucho gusto decir que el libro de Ann Boroch se encuentra ¡justo en el punto!

Su tumultuoso viaje de cuatro años para revertir la esclerosis múltiple la enseñó de primera mano a examinar las capas del cuerpo y la mente que participan en la creación de la enfermedad. El resultado de su viaje es un libro memorable que identifica y unifica las "raíces" causales, aparentemente no relacionadas, que van más allá de los petroquímicos, y se concentra en la cándida y en los hongos, en las dietas, las amalgamas de plata, los parásitos, las vacunas, el estrés geopático, los traumas y la genética, factores que subyacen escondidos en casi todas las enfermedades autoinmunes. Lo mejor de todo es que Ann Boroch nos brinda soluciones naturales y útiles para un programa práctico de autoayuda que cualquiera que lo desee puede seguir.

El libro está dividido en cuatro partes, en las que la autora aborda su viaje personal, las causas de la esclerosis múltiple y las soluciones; también presenta una maravillosa sección de tratamiento que incluye tablas fáciles de usar, programas de suplementos, recetas y diversos recursos.

Ann Boroch te conducirá e inspirará a través de esta lectura. Al seguir su programa no solamente experimentarás una mayor energía, una vitalidad más intensa y una claridad mental, sino que tu salud en general seguramente mejorará. Habrá que reconocer y felicitar a la autora por su enorme valentía y por el hecho de haber aportado su propia experiencia para difundir la idea de que una enfermedad es una llamada de atención para limpiar tu forma de actuar de adentro hacia fuera.

DRA. ANN LOUISE GITTLEMAN, MÉDICO CIRUJANO

Autora que integra la lista de *bestseller* del *New York Times* por las obras *The Fat Flush Plan, Before the Change* y *The Fast Track One-Day Detox Diet*

Prefacio

Mi doctor revisó página tras página mi historia clínica —electroencefalogramas, exámenes neurológicos— y calculó los posibles análisis que debería realizarme… Había soportado dos semanas de análisis, deseando encontrar qué era lo que causaba los espasmos, el adormecimiento y el hormigueo, así como otros síntomas neurológicos que apenas me permitían caminar por mí misma.

"Mira, Ann", dijo, "la buena noticia es que no tienes cáncer. La mala… es que tienes esclerosis múltiple." Con esas palabras me convertí en una estadística, uno de los 500 mil casos estimados en Estados Unidos y de los tres millones de personas alrededor del mundo afectadas por una enfermedad que debilita, llamada esclerosis múltiple.

"Incurable… hay que intentar la quimioterapia… desacelerar el inevitable deterioro…"

Él siguió hablando, pero yo me encontraba tan consternada que sus palabras perdieron sentido para mí. La medicina occidental tradicional había fracasado en la cura de una seria mononucleosis que me había atacado cinco años antes. No tenía confianza en que me pudiera ayudar en esta ocasión.

Salí de su oficina y, después de dos semanas de sufrimientos físicos, confusión mental y tortura emocional, le di la espalda a los tratamientos médicos tradicionales para la esclerosis múltiple. Tenía apenas 24 años y estaba aterrada, pero me rehusaba a aceptar la idea de pasar mi vida en una silla de ruedas. "No voy a ser un caso más en la estadística de la esclerosis múltiple", me decía. Y lentamente, paso a paso, generé mi propio programa de cuidados con base en métodos de medicina integral.

Cuatro tumultuosos años después había revertido la esclerosis múltiple.

Debes entender que la salud va más allá del cuerpo físico. La salud implica un equilibrio del cuerpo, la mente, las emociones y el espíritu. Cuando te enfrentas a una enfermedad crónica, tienes que examinar todas las facetas de tu ser. Esto significa ir más allá de los síntomas y atender temas como la dieta, el estilo de vida, el estrés, el ejercicio, los pensamientos negativos, los miedos y las creencias que te limiten.

Eventualmente, espero, el habitual paradigma de la medicina occidental reconocerá que a pesar de que dos personas tengan el mismo padecimiento deben ser tratadas como individuos, en el entendido de que la historia de cada persona es única, que la salud rebasa el tratamiento del cuerpo físico y que es esencial atacar la raíz de los problemas. Entonces la curación será la regla y no la excepción.

Lo más importante es que la salud es una elección. Sí, el cuerpo tiene una inteligencia innata interna llamada homeostasis que lo mantiene en equilibrio. Pero esto no basta para preservar la salud si tomas decisiones poco saludables, si redundas en pensamientos negativos, si bombardeas tu cuerpo con alimentos que no son nutritivos, si lo sobrecargas con estrés y lo llenas de miedos. Cada vez que tomas una decisión, tan simple como qué vas a comer cada día, de hecho estás eligiendo estar sano o no.

Incluso cuando di los primeros pasos en mi viaje de sanación tenía claro que no solamente me dirigía hacia la recuperación, sino también que ayudaría a otros a cruzar por las complejidades de una enfermedad autoinmune. El día de hoy soy una naturópata con nueve años de experiencia, en los cuales he ayudado a más de nueve mil pacientes con diferentes condiciones de salud. Basada tanto en mi experiencia personal como en la profesional, es mi responsabilidad y mi pasión no solamente educarte acerca de las causas de la esclerosis múltiple y cómo revertirlas, sino también inspirarte con el conocimiento necesario para que triunfes.

La sociedad, tu familia y tus amigos te habrán condicionado en menor o mayor medida en la convicción de que eres impotente en cuanto a la esclerosis múltiple se refiere y de que los medicamentos son la única opción para vivir con este diagnóstico. Pero no es así. Existe una verdad oculta de sanación que siempre ha estado con nosotros. Esta verdad reside en el increíble poder individual que posees para transformarte: tu cuerpo, tu espíritu, tu mente y tus emociones. Es fundamental que decidas volverte sano y que apoyes la decisión para encontrar tu poder y darle la vuelta a cualquier enfermedad.

Este libro está dividido en cuatro secciones:

- Primera parte: "Mi viaje curativo". Un recuento de mi transformación y de la manera en que me curé de la esclerosis múltiple.
- Segunda parte: "La verdadera causa de la esclerosis múltiple". Describe todas las causas de esta enfermedad.
- Tercera parte: "Puedes curarte a ti mismo: las soluciones". Explica las soluciones y la razón por la cual son efectivas.
- Cuarta parte: "Tu plan de tratamiento". Ofrece tablas fáciles de usar, recetas y ejercicios para que generes tu propio tratamiento.

Conforme leas mi historia, podrás descubrir que existen muchas formas de quebrantar la integridad del cuerpo y crear una enfermedad. He aprendido que estos componentes no solamente son físicos. Cuando hablamos de enfermedades autoinmunes, los desequilibrios emocionales, mentales y el estrés espiritual son tan importantes como una dieta pobre, las toxinas ambientales y los factores genéticos.

Mi historia es bastante agitada, pero eso no significa que todas aquellas personas con esclerosis múltiple tengan que atravesar por los mismos estadios por los que yo tuve que pasar. Lo que importa de mi viaje es que ahora sé que tengo la pasión y el conocimiento para educar a otros.

Déjame llevarte al momento en que todo empezó.

PRIMERA PARTE

Mi viaje curativo

CAPÍTULO 1

•

El comienzo de la enfermedad

Me encantaría poder decir que crecí en el seno de un hogar modelo, feliz, con mamá y papá que lo saben todo, pero no es así. Mis padres se conocieron y se casaron muy jóvenes. Me concibieron en un Corvette, en una calle de un pequeño pueblo de Connecticut. Poco después se mudaron al sur de California y se establecieron en Montclair, donde nací en 1965. Fui hija única. Mi madre es una bella y fuerte mujer italiana con gran sentido del humor. Mi padre es un hombre de negocios, gregario, de ascendencia alemana y polaca. Formaban una pareja bien parecida, pero la felicidad dura poco y se divorciaron cuando yo tenía tres años.

Cuando me convertí en adolescente, y tuve acceso a algunas fotografías viejas al observarlas me invadía una sensación de pérdida y me preguntaba cómo habría sido crecer con mis dos padres. En cambio, crecí con mi madre y veía a mi padre cada quince días. Los dos hogares constituían ambientes distintos y encontraba un consuelo especial en cada uno porque me brindaba lo que el otro no podía. Fui el centro de atención en ambos hogares hasta que cumplí nueve años; entonces mi padre se volvió a casar y tuve mi único medio hermano.

Mis abuelos paternos influían mucho en mi vida, especialmente mi abuela. Era una hipocondriaca generosa y obstinada sin el más mínimo sentido del humor. Me consintió mucho, lo cual disfruté a cada minuto.

La rivalidad entre mis padres comenzó tempranamente al igual que mi angustia. Su divorcio fue amargo y durante toda mi niñez percibí el coraje que se tenían mutuamente.

Para distraerme, comencé a participar en diferentes actividades. Mi madre pagó mis clases para aprender a montar a caballo, patinar, jugar futbol soccer, basquetbol y beisbol. Y aunque era buena, terminaba lastimándome en todos los deportes que practicaba. Así, cuando empezaba a practicar cualquier deporte me llenaba de dudas y miedos. En retrospectiva, me doy cuenta de que mis miedos y dudas contribuyeron a la formación de un círculo vicioso de lesiones.

Más allá de las lesiones, las enfermedades eran un lugar común en mi vida, tanto como respirar. Mi niñez se centraba alrededor de las visitas a los médicos a causa de resfriados, infecciones de los oídos o de los senos paranasales, gripas e impétigo; esto era tan frecuente que a los nueve años me volví inmune a la penicilina. No sabía que la rutina de tomar antibióticos por cualquier cosa llevaría eventualmente a mi cuerpo a un deterioro fatal.

Tampoco sabía que mis malos hábitos de consumo de azúcar y alimentos procesados hacían que estuviera enferma constantemente. Como era adicta al azúcar se me picaron casi todos los dientes y mi boca estaba repleta de amalgamas de plata y mercurio cuando cumplí doce años. Cada visita al dentista y cada amalgama que me ponían me quitaban el miedo de acudir a las citas porque sabía que estaba más cerca de detener el dolor de muelas y podría comer más dulces.

Crecí sintiéndome como una pelota de ping-pong mental y emocional, atrapada en la dinámica de una familia disfuncional, rechazada constantemente por mis padres, contando solamente con mis abuelos como amortiguadores.

Desde fuera, todo parecía estar bajo control. Me iba bien en la escuela, tenía amigos y había aprendido a apaciguar a mi padre y a mi madre. Pero por dentro luchaba por encontrar un territorio de seguridad.

LIDIAR

La dinámica entre mi madre y yo era intensa. Fue una relación de amor-odio. Ella era, y sigue siendo, amorosa, espontánea, divertida y llena de energía. También era controladora, crítica y estricta, con un fiero temperamento italiano. Nuestro ambiente familiar italiano implicaba que volaran zapatos y cucharas si no me comportaba correctamente. Temía el carácter de mi madre y sentía que todos mis actos eran vigilados por ella. No recuerdo un momento en el que me sintiera aceptada. Me obsesioné por la perfección, pero entre más me esforzaba en serlo frente a sus ojos, me volvía más torpe y me sentía más estúpida.

Mi padre era alcohólico y emocionalmente muy desapegado. Su preocupación por los negocios le dejaba muy poco espacio para mí. Quería ser la "niñita de papá" más que nada, pero no lo lograba. Mi padre no sabía cómo externar sus sentimientos y nuestros vínculos eran superficiales. El resultado era que temía y desconfiaba del hombre de quien anhelaba amor y valoración.

Los eventos psicológicos y emocionales que tuvieron lugar en mi niñez fueron el escenario para que se desarrollara la enfermedad. Emociones basadas en el miedo —como el abandono, la culpa, el miedo mismo y la furia—, se establecieron en la memoria celular de mi cuerpo. Inconscientemente, adopté un patrón en el cual me enfermaba o me lastimaba para recibir amor incondicional. Ésta era la forma en que me enfrentaba a la situación. Para empeorar las cosas, desarrollé una adicción a los alimentos procesados e ingería en exceso carbohidratos, azúcares refinadas y refrescos embotellados. En ese momento no sabía qué tan nocivas eran las azúcares refinadas, que debilitan el sistema inmunológico al descomponer vitaminas y minerales esenciales para el cuerpo. De igual forma, el azúcar acidifica el cuerpo y aumenta la inflamación, lo cual se convierte en terreno fértil para el inicio de la enfermedad. Con todo esto trataba de eliminar mi dolor emocional, pero en realidad estaba dañando mi sistema inmunológico.

¿QUIÉN SOY?

Cuando tenía 19 años, un bonito domingo de abril fui al centro comercial con un grupo de amigos. Entré en una tienda de dulces y de pronto todo me pareció que se movía en cámara lenta. Mi piel se adormeció, sentí la cabeza pesada, la mirada nublada y dejé de sentir el piso por el que caminaba. Me invadió una ola de pánico sin que nadie se diera cuenta. Una ráfaga de calor me recorrió mientras trastabillaba hacia fuera de la tienda para sacudírmela. Les pedí a mis amigos que me llevaran a mi casa porque no me sentía bien. Pensaron que necesitaba comer algo. Cuando llegué a mi casa, comí cualquier cosa y me dormí temprano.

Me desperté la mañana siguiente pensando que el día anterior había sido una pesadilla y que todo volvería a la normalidad. Pero cuando abrí los ojos sentí un gran peso en la cabeza. Me senté y perdí la orientación. Los síntomas del día anterior se habían intensificado. No fui a la escuela y acudí al doctor. Después de examinarme y hacerme análisis de sangre, que resultaron negativos, me dijo que tenía una infección viral en el pecho y me mandó a mi casa con una receta de antibióticos.

Mis síntomas nunca desaparecieron y un mes después mi condición había empeorado. Me sometí a otra ronda de análisis: descubrí que tenía mononucleosis y el virus de Epstein-Barr. Mis síntomas eran fatiga, desorientación, pensamientos nublados, alergias (alimenticias y ambientales), constricción del pecho, dolor y presión en los oídos y en los senos paranasales, dolor de garganta, constipación, pérdida de peso, depresión y mareos. Durante dos meses estuve exhausta y permanecí en cama sin signos de mejora. Fui con varios especialistas buscando una respuesta. Durante los siguientes ocho meses consulté a siete especialistas que me recetaron más de veinte medicamentos distintos, principalmente antibióticos y esteroides. Me sometí a todos los análisis imaginables —resonancias magnéticas, electrocardiogramas, pruebas de audición, análisis de orina… Los resultados eran negativos.

Todo mi mundo se había sacudido hasta su centro. Comencé a sentir frustración y rabia contra los médicos —y contra la medicina tradicional—, por recetarme tantos fármacos sin que hubiera signos de mejora. Los medicamentos habían dañado aún más los sistemas de mi cuerpo. Dado que los doctores no analizan o hablan de las relaciones de ciertos hábitos con la enfermedad —como una mala dieta o el estrés—, resultaba aún más difícil descubrir la raíz de mis dolencias. Para colmo, no tenía una religión particular en la cual me pudiera apoyar y me sentía perdida y sin esperanza. Por primera vez en mi vida quise morir.

BUSCANDO MEJORAR

Un día, a finales de noviembre, mi madre fue a comer con un amigo que le preguntó cómo me sentía. "Se está poniendo peor", respondió ella.

Él le contó de una amiga suya que era *médico intuitiva*. Mi condición había empeorado tanto que mi madre estaba dispuesta a intentar cualquier cosa.

Mi madre contactó a la médico intuitiva y a la semana recibió un escrito por correo con gran detalle. Ella decía que yo tenía un problema grave llamado candidiasis, que es un sobre crecimiento de un fermento llamado *Candida albicans*, debido a que durante toda mi vida había abusado de los antibióticos y los esteroides, y a causa de una mala dieta consistente en azúcar refinada y carbohidratos. Las toxinas de este fermento habían migrado de mi tracto gastrointestinal hacia el torrente sanguíneo y habían activado una reacción de anticuerpos, que a su vez generaban síntomas similares a la mononucleosis. También decía que cuando mis ataques eran más fuertes, aparecían síntomas limítrofes de leucemia. Asimismo, afirmó que yo sufría de una crisis en la producción de glóbulos rojos, al igual que deficiencias en la dieta y una incapacidad de sintetizar aminoácidos. El factor más crítico era la regulación de mi dieta por medio de la eliminación de las azúcares refinadas, la comida procesada, los productos lácteos y los fermentos (cacahuates, panes, hongos, vinagres y condimentos), así como la administración de medicamentos antimicóticos para erradicar el sobre crecimiento del fermento.

Una semana después de haber recibido el diagnóstico *intuitivo*, revisé un libro recientemente publicado por el doctor William Crook, miembro emérito de la Academia Americana de Pediatría y del Colegio Americano de Alergia, Asma e Inmunología. Se llamaba *The Yeast Connection: A Medical Breakthrough*[1] y confirmaba mi condición. Aprendí que la candidiasis es una epidemia silenciosa en Estados Unidos debido a nuestra mala dieta y al abuso de antibióticos y esteroides.

La *Candida albicans* es un fermento unicelular que vive naturalmente en nuestro tracto intestinal, en las membranas mucosas y en nuestra piel. El doctor Crook explica que los antibióticos arrasan con las bacterias buenas y malas de nuestro cuerpo, pero que no atacan al fermento. La ausencia de las bacterias positivas permite que el fermento prospere de forma continua a partir de las dietas deficientes basadas en azúcares refinadas, lácteos, alcohol y alimentos fermentados. Es así que nuestro cuerpo desea cada vez más los alimentos que multiplican el fermento. Con el tiempo, el fermento se convierte en un hongo que migra a través de las paredes intestinales (síndrome de permeabilidad intestinal) y al torrente sanguíneo. Para empeorar las cosas, el fermento produce setenta y nueve sustancias adicionales, lo cual debilita el sistema inmunológico y genera más desequilibrios. Desde este punto puede atacar los sistemas genéticamente más débiles y vulnerables del cuerpo. La mente nublada que sentía se debía a uno de los subproductos, el acetaldehído, que se descompone en alcohol etílico en el hígado, y me producía la sensación de desorientación y estropeaba mi coordinación haciéndome sentir como si estuviera borracha.

Lo más importante de todo es que el sobre crecimiento del fermento/hongo no desaparecerá ni permitirá que el cuerpo regrese a la normalidad a menos de que sea tratado con antimicóticos y con modificaciones a la dieta.

Cuando leí el libro del doctor Crook materialmente lloré de alegría. Me sentí liberada al saber que estaba en el camino correcto. Al fin encontraba respuestas concretas. Las correlaciones eran evidentes. Yo era un caso clásico dados mis hábitos alimenticios y las innumerables ocasiones en las que me recetaron antibióticos y esteroides. Incluso cuando leía el libro del doctor Crook, me encontraba tomando otra dosis de antibióticos. La lectura del diagnóstico intuitivo y el libro del doctor Crook me indicaron que empezara a tomar Nistatina, un antimicótico. La Nistatina es un organismo concentrado que se extrae de la tierra fértil; es considerado uno de los medicamentos menos tóxicos en la *Guía de Referencia Médica* y puede ser utilizado por mujeres embarazadas y bebés. Por supuesto me indicaron que cambiara mi dieta. El azúcar refinada era letal para mi cuerpo y necesitaba evitarla en cualquiera de sus formas —dextrosa, fructosa, jarabe de maple, miel y azúcar morena. También me recomendaron evitar los lácteos, el trigo, los carbohidratos refinados, el alcohol y los productos fermentados. Comencé a comer alimentos que no sabía que existieran, como el mijo y la quínua. Bebí agua regularmente por primera vez en mi vida. Había crecido con la idea de que todo el mundo de la comida consistía en pastas, sopas enlatadas, cenas congeladas, refrescos embotellados y pastelitos de chocolate. ¡Fue un despertar muy brusco!

Después de un año de seguir este programa recuperé la salud y la vitalidad. Estaba asombrada y hambrienta de conocimiento que pudiera expandir mi autoridad. Quería saber lo que los reclamos de mi salud querían decirme. Comencé a leer e investigar sobre cómo el cuerpo y la mente operan juntos. Sin embargo, al paso del tiempo, mis viejos patrones de azúcar y estrés resurgieron.

DIAGNÓSTICO DE LA ESCLEROSIS MÚLTIPLE

Cuatro años después, cuando tenía 24 años, tuve nuevamente una fuerte sacudida. Estaba comiendo en un restaurante con mi amiga Linda cuando me dio un ataque. No podía moverme, hablar ni tragar. El pánico invadió mi mente y mi cuerpo. Trataba de jalar aire mientras mi cuerpo sufría espasmos incontrolables. El ataque duró solamente treinta segundos, pero sentí que fue mucho más largo.

Cuando terminó, le pedí a Linda que me llevara a mi casa; me tuvo que sacar del coche cargando porque seguía teniendo espasmos. Linda llamó a mi madre, quien vino al rescate inmediatamente y se quedó conmigo hasta muy noche, cubriéndome con mantas y tratando de calmarme. No podía dejar de temblar, lo cual parecía surgir de lo más profundo de mí, y mis pensamientos estaban fragmentados. Sabía que esto era grave. Finalmente no pude soportar la fatiga y me quedé dormida.

Al día siguiente mi madre me llevó con un especialista. Tenía una debilidad y fatiga musculares extremas y apenas podía caminar en el consultorio. Algunas partes de mi cuerpo estaban adormecidas y me costaba trabajo hablar. Me molestaba mucho estar en un consultorio médico nuevamente, pero estaba muy inestable como para pensar en una alternativa. El doctor me hizo una valoración neurológica completa y me mandó al hospital para que me hicieran una serie de análisis, incluyendo un EEG (electroencefalograma, que mide las ondas cerebrales) y un PE (análisis de potencial evocado, que registra la respuesta eléctrica del sistema nervioso a la estimulación de rutas sensoriales específicas, como la visual, la auditiva y la de sensibilidad general).

Durante los días siguientes, mi cuerpo permaneció incapacitado. Mi mente estaba aturdida por miedos y pensamientos amenazantes. Cuando entré al consultorio del doctor para que me diera los resultados, estaba temblando.

Nos indicó a mi madre y a mí que nos sentáramos, y abrió mi expediente. "Bueno, la buena noticia es que no tienes cáncer. La mala es que tienes esclerosis múltiple."

Me quedé sin habla. Ahora que finalmente me habían diagnosticado y sabía cuál era mi problema, no sabía si sentir alivio o terror.

Las últimas palabras que recuerdo que dijo fueron: "La esclerosis múltiple… es incurable, aunque existen medicamentos experimentales, como la quimioterapia, para tratarla…"

Mi madre, ofendida por el poco tacto del doctor, me sacó cojeando del consultorio. Yo estaba devastada y lloré durante todo el camino a casa. Sentía que mi vida se había terminado. Tenía 24 años pero estaba tan deteriorada físicamente que no era capaz de pensar en mi futuro. ¿Cómo comenzaría a aceptar el diagnóstico y seguir adelante con lo que quedaba de mi vida?

No podía.

Tuve que renunciar a mi trabajo y luchar cada día simplemente por existir. El primer año fue insoportable. Los días pasaban sin sentido, acompañados de síntomas interminables que me recordaban constantemente que mi cuerpo había cambiado por completo. Los síntomas siguieron agravándose sin tregua. Durante los primeros meses estuve en cama. Tuve ataques de respuesta inmune en los cuales perdía el control motor. Mi cuerpo entraba en espasmos y temblores incontrolables. Era incapaz de realizar movimientos coordinados como caminar. Tenía los miembros adormecidos, debilidad muscular, percepción sensorial limitada, temblores compulsivos, disfunciones en la vejiga y agotamiento nervioso. Mi capacidad de hablar, masticar y tragar era limitada. También tenía problemas para formular pensamientos y para recordar.

La esclerosis múltiple (EM) es una enfermedad autoinmune del sistema nervioso central que actúa sobre el cerebro y la espina dorsal. Afecta a más de tres millones de personas alrededor del mundo. Las mujeres tienen el doble de probabilidades de desarrollar EM que los hombres. Es una condición inflamatoria que destruye la mielina, el blanco tejido grasoso que aísla los nervios y evita la conducción de impulsos nerviosos. En la EM, la mielina se inflama y se desprende de las fibras nerviosas. Eventualmente, la mielina desprendida se convierte en un parche de tejido cicatrizado endurecido (esclerótico) sobre las fibras. Estas lesiones pueden aparecer en diferentes zonas del cerebro y la médula espinal y producir varios síntomas. La esclerosis múltiple es considerada incurable y se han gastado millones de dólares tratando de encontrar sus causas y una cura.

La esencia de la vida, que yo había dado por un hecho, desapareció. Todo sucedió muy rápido. Me sentí como quien ha estado encarcelado diez años y de pronto es liberado con el tiempo mínimo para ajustarse y de inmediato es encerrado nuevamente. Pasé muchos días tirada en el piso, completamente aterrorizada al pensar que mi cuerpo ya no funcionaría. Lloré muchas horas y quedé exhausta por la obsesión y el esfuerzo de tolerar los extraños síntomas que experimentaba. Tenía los brazos y las piernas dormidos y con hormigueo; me costaba trabajo caminar, hablar y tragar. Cada parte de mi cuerpo estaba agotada. Mi sistema nervioso central, que controlaba todo mi cuerpo, estaba completamente discapacitado. En ese momento supe lo que se siente ser cuadrapléjico. El terror absoluto de quedarme inmóvil era suficiente para volverme loca. Vivía con el temor constante de que el siguiente aliento fuera el último.

Finalmente me decidí a llamar a la médico intuitiva a quien había contactado anteriormente y le solicité otro diagnóstico. Al cabo de unos días me dio una consulta telefónica. Cuando confirmó que efectivamente tenía esclerosis múltiple, perdí el aliento y el corazón se me encogió.

Pero antes de que yo pudiera reaccionar, ella dijo: "Tú tienes el poder de erradicar la enfermedad". "¿Cómo?", pregunté.

Me dijo que volviera a la Nistatina, que limpiara nuevamente mi dieta de azúcares, levaduras, productos lácteos y alcohol. También me dijo que era necesario que me removieran las quince amalgamas de plata y mercurio.

"Finalmente es esencial que creas y sepas que puedes erradicar esta llamada enfermedad incurable", me dijo.

Cuando colgué el teléfono, parte de mí estaba optimista y esperanzada, pero otra parte estaba nublada por la duda y la incertidumbre.

El primer paso fue sacarme las amalgamas de plata y mercurio, y las remplacé con amalgamas plásticas no tóxicas. El mercurio en las amalgamas era un factor que afectaba mi sistema inmunológico y contribuyó en parte a la formación de la esclerosis múltiple.

El proceso de remoción no fue fácil. No toleraba la anestesia ni la novocaína ya que me podían producir un ataque, que era como tener un ataque epiléptico consciente, experimentando espasmos y temblores incontrolables durante varios minutos, y además quedaría exhausta. A pesar de que usé un dique dental y una máscara, me enfermé gravemente después de cada extracción y reposición ya que los vapores y residuos de mercurio se trasminaron a mi cuerpo. Enjuagué mi sistema tomando medio galón diario de té de trébol rojo, que me ayudó a limpiar la sangre, los riñones y el hígado. Durante los siguientes dos meses apenas podía levantar la cabeza y diariamente sufría un par de ataques de respuesta del sistema inmunológico. Mental y físicamente me sentía como una nonagenaria viendo el final de su vida.

Me esforcé con la remoción del mercurio pero sin ver signos de mejoría. En lugar de eso los ataques de esclerosis múltiple se volvieron más frecuentes y graves. Los peores momentos sucedían durante las tardes y por las noches debido al nivel de cortisol del cuerpo, una hormona producida por las glándulas adrenales que comúnmente disminuye en esos momentos del día y que, con la poca energía que tenía, se desplomaba.

Una noche mientras estaba acostada en el sillón de mi madre, con ella y mi padrastro cerca, sentí que mi cuerpo se apagaba y quedaba completamente paralizado. Mis extremidades estaban congeladas, mi respiración se hizo más lenta y no podía emitir sonido. El pánico afloró en cada célula de mi cuerpo. Quería gritar pero no podía. Mientras mis pulmones se colapsaban, tomé mi último aliento y sentí que me separaba de mi cuerpo. Sentí tibieza y luz mientras me acercaba a un túnel luminoso. El tiempo se había detenido. Floté más allá de mi cuerpo físico y más cerca de la luz. Entonces escuché una voz que me decía: "¿Quieres irte o quedarte?"

No me quería ir. Entonces vino el silencio.

Pasaron segundos y escuché: "¡Quédate! Tienes más cosas qué hacer".

En el momento en que decidí quedarme, regresé a mi cuerpo, salí expelida del sillón y di un grito horrendo. Mi respiración se había restablecido. Mi madre y mi padrastro saltaron y fueron a mi lado. No tenían idea de lo que había sucedido. Pensaron que estaba dormida. Mi cuerpo se convulsionaba, mi mente parecía una masa blanda y no podía formular palabra. El terror saturaba cada tejido mientras regresaba de mi experiencia "de muerte". En tanto lloraba en agonía, le pedí a mi madre que me ayudara a caminar. Tenía que saber si todavía podía moverme. Me ayudó a dar la vuelta a la sala mientras mi cuerpo seguía sufriendo espasmos incontrolables.

Me sentí aterrorizada de regresar a mi cuerpo, pero en ese momento apelé a mi voluntad de vivir y luchar con valentía y fiera tenacidad. Me prometí que esta enfermedad no destruiría mi vida. La médico intuitiva y el trabajo del doctor Crook me habían expuesto a tratamientos alternativos que, a pesar de ser temporales, me habían aliviado anteriormente. Sabía que había una manera de superar esta enfermedad insidiosa y estaba determinada a encontrarla.

Aunque estaba físicamente limitada, todavía podía leer, por lo que empecé a ahondar en la investigación de un proceso curativo. Leía todo lo que me caía en las manos relacionado con la conexión del cuerpo y la mente, la nutrición, la autoayuda, la candidiasis, la esclerosis múltiple y la autoinmunidad. Entre más leía, más claro me resultaba que las emociones suprimidas de mi niñez y los pensamientos basados en el miedo y el enojo fueron factores que favorecieron esta enfermedad. Era evidente que atender el cuerpo físico solamente no sería suficiente para curar una enfermedad progresiva y crónica.

Mi investigación me llevó a la idea de que el sobre crecimiento de los fermentos o los hongos era un factor decisivo de la esclerosis múltiple, lo cual reforcé en varias sesiones de seguimiento con la médico intuitiva. A partir de mi investigación aprendí que la candidiasis ataca en primer lugar los nervios y los músculos, pero puede atacar cualquier tejido u órgano, dependiendo de la predisposición del cuerpo. Los síntomas más comunes de la candidiasis son la indigestión, la inflamación, los gases, la fatiga, la desorientación, mala memoria, el adormecimiento, dolores abdominales, constipación, ataques de ansiedad, la depresión, irritabilidad y temblores cuando estamos hambrientos, falta de coordinación, dolores de cabeza, erupciones cutáneas, infecciones vaginales por hongos y frecuencia urinaria.

Además del libro *The Yeast Connection* de Crook, que presenta la correlación entre el fermento y las condiciones autoinmunes, encontré otro libro, *The Missing Diagnosis*, del doctor Orian C. Truss; se trata de un médico pionero en escribir sobre la candidiasis y en presentar estudios que mostraban que el sobre crecimiento del fermento afectaba negativamente el cuerpo. En uno de estos casos, Truss trató con Nistatina y modificaciones en la dieta a una mujer con esclerosis múltiple, y la normalizó hasta el grado de que su neurólogo no encontró rastros de la enfermedad. Por eso volví a tomar Nistatina: una píldora de 500 000 unidades tres veces al día. También comencé una estricta dieta libre de azúcares, lácteos, trigo o granos refinados, carne roja y productos fermentados o con alguna clase de fermento. Mi objetivo no solamente era eliminar la candidiasis al suprimir los alimentos que favorecían el fermento, sino volver a equilibrar mi digestión y absorción para que mi cuerpo pudiera utilizar de forma adecuada las vitaminas y los minerales, de forma que hicieran su trabajo de reconstrucción y regeneración.

Los principales complementos que tomaba eran la vitamina C y la E, para apoyar la inmunidad y purificar los radicales libres, y el complejo B para ayudar a las funciones neurológicas. También tomaba aceite de pescado Omega 3 y Omega 6 de prímulas para reparar mi recubrimiento de mielina. Diariamente bebía mi medio galón de té de trébol rojo para limpiar mi sangre, hígado y riñones. Quizá no recuerde algunos de los complementos adicionales que tomé pero mi conocimiento en esta área era limitado, por lo que me centré en tomar las vitaminas y minerales suficientes a lo largo de mi dieta.

LIMPIANDO MI CASA INTERNA

La empresa más intensa que tuve que enfrentar para ayudarme a erradicar la esclerosis múltiple comenzó cuando decidí limpiar mi casa interna… emocionalmente, mentalmente y espiritualmente. Comencé con el cuestionamiento de mi sistema de creencias obsoletas para asumir nuevas; lo principal era que ahora creía que mi cuerpo se podía transformar a nivel celular.

Comencé a desprenderme de mis miedos más profundos. Me di cuenta de qué tan dura había sido conmigo misma y qué tanto mi amor condicionado y la autocrítica contribuían a mi enfermedad. Tomé la responsabilidad de mi enfermedad y aliviarme fue mi prioridad más importante.

Lo más difícil para mí fue aceptar que yo había creado esta condición de manera subconsciente. La mente subconsciente es como un niño de seis años, sin capacidad de discernimiento, que adora la repetición y controla realmente las acciones y reacciones que realizamos diariamente. Mi subconsciente estaba lleno de una historia de miedo, furia y baja estima. Dado que no había atendido esos patrones subconscientes, atraía nuevas experiencias de la misma índole una y otra vez. Al paso del tiempo estas experiencias estresaron y debilitaron mi sistema inmunológico. Supe que ya no quería ser una víctima y al aceptarlo me permití tocar el poder de saber que podría tomar una opción distinta. Me subí al asiento del conductor de mi vida y comencé a creer que podría generar una nueva realidad y liberarme así de la esclerosis múltiple.

A pesar de mi entusiasmo, me enfrenté a mucha resistencia interna. Una cosa era tomar mentalmente creencias y pensamientos nuevos, y otra era sentirlos y hacer que mi cuerpo estuviera de acuerdo con ellos. Descubrí que la materia física, el cuerpo, no se movía tan rápido como mis pensamientos. Quería incorporar otras terapias alternativas como la acupuntura y el masaje, pero mi cuerpo rechazaba el más mínimo estrés y hacía aparecer un ataque.

Con el tiempo fue evidente que tenía dificultad para respirar mientras vivía en Los Ángeles, debido a los contaminantes del petróleo, por lo que a los 25 años me mudé al condado de Sonoma. Éste fue un gran paso para mí en un momento muy vulnerable de mi vida. Había avanzado lo suficiente para caminar y funcionar sola mientras no me forzara. Mi umbral de estrés había cambiado completamente y mi cuerpo me haría saber de inmediato si estaba yendo demasiado lejos, mediante la aparición de un ataque.

Tan pronto como me mudé, mi cuerpo respondió al aumento de oxígeno que brindaba una mejor calidad del aire. Mantuve mi régimen de comer sanamente, tomar mucha agua y té de trébol rojo, mantener los complementos alimenticios y la toma de Nistatina. Comencé a hacer caminatas y me di cuenta de que podía caminar más lejos que antes. Pero si lo hacía en exceso mi cuerpo sufriría espasmos y temblores.

Entonces vinieron los días en los cuales mi fatiga nerviosa extrema hizo imposible que me levantara de la cama. La nube de desesperación amenazaba con sobrepasarme nuevamente, me habría hecho llorar y quedarme tendida, preguntándome si podría curarme realmente; pero aprendí a remontar la marea en las buenas y en las malas, y eventualmente comencé a ver más días buenos que malos.

Pasaron algunos meses y decidí enfrentar un reto, así que acepté un trabajo de medio tiempo en una librería. Hice mi mejor esfuerzo para enfrentarlo día con día pero por momentos el miedo de tener más ataques me generó un mayor estrés, lo que provocó ataques ligeros. Sin embargo, seguí adelante.

Después de seis meses de trabajar y persistir, decidí regresar a la escuela e ingresé a la universidad estatal de Sonoma. Cambié mi carrera de mercadotecnia a la de psicología. Quería tener una dimensión más profunda de quién era yo y cómo funcionaban los demás. En este periodo, los ataques se disparaban únicamente por estrés, cuando éste era de moderado a alto; por ejemplo, noté que era mayor durante la época de exámenes. Sin embargo, para entonces ya sabía cuál era la rutina para cuidar mi cuerpo y cruzar los momentos difíciles. Mis miedos no eran tan intensos, pero todavía pensaba: "¿Estoy mejorando o me estoy engañando?" Trataba de desechar estos pensamientos porque renunciar no era una alternativa para mí. Quería un cuerpo nuevo, una transformación celular, y mi cuerpo no estaba como yo quería. Me encontraba atrapada en la fe ya que el conocimiento todavía no era parte de mi realidad.

Un día me percaté de que la salud era opcional y que de manera inconsciente había escogido esta enfermedad como una forma de descubrir mi propio valor. Este reconocimiento me dejó sin aliento. La siguiente conclusión lógica era que "ahora tenía la alternativa de escoger un cuerpo saludable". Éste fue el momento de cambio más importante y significativamente iluminador.

Aunque cada vez era más clara mi condición, mi resistencia libraba una batalla interna. ¿Cómo podía estar tan consciente y sentirme todavía incapaz de matar mis demonios y cambiar mis pensamientos negativos?

SUMERGIRSE EN LAS PROFUNDIDADES

Tenía 26 años cuando regresé a Los Ángeles para el Día de Acción de Gracias. Cuando empezamos a comer nuestra cena, mi abuela materna comenzó a ahogarse, se puso morada e intentó jalar aire y mover los brazos. Yo pedí ayuda a gritos. Mi padrastro se paró detrás de ella y le aplicó la maniobra de Heimlich hasta que escupió un pedazo de pavo.

Mientras yacía en la cama de la sala de urgencias —su presión arterial se había disparado—, sentí que mi propio terror sobre la salud empezaba a brotar de mi garganta. Podía sentir el miedo apretándome el estómago; el mío y el de ella. Quería salir corriendo pero permanecía a su lado. Los doctores dijeron que estaba bien y me la llevé a casa de mi madre. Sin embargo, el resto de la noche, mientras los demás se divertían, no podía sacudirme estos sentimientos incómodos, los miedos de mi abuela y los míos. No sabía entonces cuánto me afectaría el episodio de ahogo de mi abuela.

Llegó diciembre y la época de exámenes finales: el estrés comenzó a aumentar. Fui a comer, pedí una orden de tacos y tuve dificultad para tragar el primer bocado. Cada bocado era más difícil de tragar. Pensé que tenía irritada la garganta. Durante la cena tuve el mismo problema. Estaba preocupada y frustrada, así que me fui a la cama esperando que todo desapareciera al día siguiente.

Al otro día volvía a tener dificultad para tragar. Me forzaba para poder pasar la comida, me enojaba y estaba perpleja por lo que sucedía. La dificultad de tragar continuó comida tras comida y esa dificultad se transformó en miedo de tragar, más que en un desequilibrio físico.

Extrañamente, este miedo a tragar fue providencial, un paso para mi curación. No lo sabía en ese momento, pero fue el catalizador para liberar los miedos reprimidos que me tragaba desde que era niña. Emocional y mentalmente estaba limpiando la casa, lo quisiera o no.

Mi energía decayó completamente. Entre tener que lidiar con la esclerosis múltiple y ahora tener miedo a tragar sentía que la presión y el pánico se instalaban en mi pecho todo el tiempo. Agonizaba cada hora y dormía muy poco. Estaba experimentando una recaída física y espiritual. Incapaz de cuidarme sola, me mudé a casa de mi madre en Los Ángeles.

Las ideas suicidas se hicieron presentes. La falta de sueño y alimento provocaron que mi pensamiento se deslizara en pensamientos negativos incontrolables. Revisé los eventos que me habían llevado hasta aquí una y otra vez. Estaba furiosa con mi abuela por haberse ahogado y supuse que si no tuviera miedo de ahogarme, posiblemente habría podido lidiar con la esclerosis múltiple. También tenía fantasías de una vida normal, pero mi realidad estaba llena de angustia y desesperación. Mi estado físico y mental era increíblemente frágil. Mi cuerpo estaba lleno de electricidad, listo para sufrir un corto circuito en cualquier momento. Estaba a punto de reventar.

El primero de septiembre de 1992, a las cuatro de la mañana, con 27 años de edad, traté de suicidarme.

Camino al hospital entraba y salía de la conciencia, viendo pasar mi vida como en una película muda. Me internaron en el hospital de inmediato por intento de suicidio. Las heridas en mi muñeca izquierda ameritaron puntadas. Las lágrimas corrieron por mi rostro pues nunca pensé, ni en mis sueños más locos, que en esto se convertiría mi vida.

El doctor le dijo a mi madre que me internarían en una habitación del área de psiquiatría hasta que hubiera lugar en un pabellón psiquiátrico. Estaba horrorizada. Cuando llegaron para llevarme lloré y le rogué a mi madre que me llevara a casa. Mientras me escoltaban hasta una puerta gigante, volteé a verla, tratando de capturar el más mínimo detalle de la imagen. La puerta se cerró y ella había desaparecido. Permanecí congelada en el abismo de lo desconocido.

Entré en el mundo clínico de las drogas y las denominaciones psiquiátricas. Perder tus facultades mentales era cien veces peor que perder tus capacidades físicas. Los doctores me diagnosticaron depresión grave.

Con el paso de los días comencé a notar que mi mente era la estación de control que regulaba todo en mi existencia física y emocional. No podía ignorar que los pensamientos crearan energía; que cada pensamiento, consciente o inconsciente, explícito o implícito, se traducía en impulsos eléctricos que manejaban los controles centrales de mi cerebro al igual que mi sistema nervioso, y que el sistema nervioso central controlaba cada célula, movimiento, sentimiento y acción que realizaba a cada momento del día. Dicho llanamente, mis ideas suicidas, el miedo y la negatividad se manifestaban en mi realidad.

RECUPERACIÓN

En el treceavo día fui liberada del hospital y me enviaron a un internado parcial. Mientras reunía mis cosas escuché que otro paciente me decía: "Pórtate bien o te van a regresar". Yo valoré estas palabras como oro porque me horrorizaba la idea de regresar.

La jefa de los consejeros del medio internado era una mujer negra de mediana edad que gobernaba con puño de hierro. Terminó siendo crucial en mi vida ya que entendió mi rabia y me ayudó a enfrentarla como una forma de salvar mi vida.

El origen de mi furia era la relación con mi madre y el dolor por sentir que mi padre me había abandonado. La rabia necesitaba salir, por lo que día tras día mis consejeros sacudieron sin cesar el panal de las emociones que vivían dentro de mí. Lentamente, una por una, las capas se fueron desprendiendo.

Después de dos semanas me transfirieron a otro internado cercano. Pasar el día era muy difícil; me entristecía y horrorizaba profundamente al ver a otros enfermos mentales. Después de unas cuantas semanas de estancia, algo milagroso sucedió mientras me preparaba para el desayuno. Desesperada, decidí hablar con Dios. Le dije las siguientes palabras con convicción y pasión desde el fondo de mi alma: "Dios, seguramente estoy frita en este momento, pero ya no merezco este trato".

Esta toma de conciencia y tal proclamación cambió mi vida. Fue en ese preciso momento cuando finalmente sentí que mi existencia valía la pena. Ahora sabía que el valor es inherente, basado en la pura existencia, y que no tiene nada que ver con cuánto dinero ganas, en qué trabajas o si tu familia te ama. En ese momento tuve una epifanía, mi poder brotó y lo pude cuantificar. Decidí entonces que ya no toleraría ser una víctima de la baja estima y valoración. Le pedí a Dios que me ayudara a mejorar. También le pedí fuerza para levantarme al costo que fuera. Así, mi conversación con Dios se convirtió en la base sobre la cual mis esperanzas se volvieron realidad. Más tarde me dieron de alta y me enviaron a casa, dos semanas antes de Navidad.

LA ESPIRAL ASCENDENTE

Una vez que fui dada de alta comencé a ver a una psicoterapeuta. Con un gran suspiro de alivio pensé: "Después de todo no estoy loca". Entendí que mi crisis se debió a que había entrado en un renacimiento en todo nivel para transformar mi cuerpo. Mi terapeuta me apoyaba y alentaba, aplaudió mi valentía y me reafirmó que lo peor ya había pasado.

A finales de febrero todavía luchaba contra mi miedo a tragar. Una tarde estaba cambiando los canales de televisión y me detuve en un canal público en el que estaban entrevistando a un hipnoterapeuta ruso. Al verlo sentí como si alguien me tomara del cuello y me dijera: "Ve a verlo". Hice una cita inmediatamente.

Peter, el terapeuta, mostró confianza y me dijo que mi miedo a tragar y los otros patrones negativos desaparecerían pronto. Por primera vez en meses bajé la guardia y me relajé. Entré en un estado hipnótico profundo, ni siquiera recuerdo lo que se dijo en la sesión. Cuando terminamos estaba absolutamente convencida de que me curaría. Por fin había ido más allá de la simple creencia; yo "sabía" que estaba curada.

En un mes todo fue milagroso. Estaba más fuerte, más sana y más centrada que nunca en mi vida. Mis pensamientos estaban enfocados y eran positivos. Era capaz de reconocer los viejos comportamientos y sentirme neutral en lugar de emocionalmente negativa. Fue como si alguien hubiera quitado las telarañas y limpiado mis formas de auto sabotaje. Estaba sana desde dentro hacia fuera, capaz de tragar y vivir cada día sin miedo. Ya que mi cuerpo psicológico estaba pleno, todos los pasos que había dado hasta ese punto —la Nistatina, los suplementos alimenticios y la desintoxicación de mi cuerpo— consolidaron mi transformación y la reversión de la esclerosis múltiple.

Poco después pude dejar la Nistatina y la remplacé con limpiador de cándida para mantener el equilibrio. Seguí comiendo sanamente, tomando vitaminas, bebiendo té de trébol rojo y haciendo ejercicio regularmente.

Al sentirme mejor espiritual y emocionalmente, fui testigo de periodos continuos en los cuales mi cuerpo físico se mantuvo sano. No experimenté ataques en meses. Comencé a sentirme estable, sin adormecimientos ni hormigueos en el cuerpo. Me volví más activa y comencé a jugar deportes sociales. Me sentí como una persona normal.

Me creí capaz de trabajar nuevamente, así que regresé a la compañía de discos en la que había trabajado. Mi expansión personal se hizo más evidente y después de un rato me volví incansable. Después de un año, y debido a mi viaje curativo, sentí que había mucho más que hacer que solamente curarme; era un llamado a lo que me esperaba. Dejé mi trabajo, me mudé a Taos, Nuevo México, inspirada en la idea de escribir sobre el viaje increíble en el que estuve y cómo me curé. Escribir era un reto y mi mente comenzó a rondar la idea de convertirme en una sanadora. Regresé a la escuela para obtener el título de naturópata e hipnoterapeuta clínica. Me gradué en la Sociedad Internacional de Naturopatía como doctora naturópata y me certifiqué como hipnoterapeuta clínica en la Escuela de Hipnoterapia Colmes. A los 33 años abrí mi consultorio en Los Ángeles. Un par de años más tarde añadí a mi currículo la certificación como iridóloga en la Asociación Internacional de Practicantes de Iridología Bernard Jensen, y la certificación como consultora de nutrición en la Asociación Americana de Consultores de Nutrición.

Inicialmente, como practicante, despertaba casi todos los días para ver si mis síntomas neurológicos habían desaparecido. Para mi gusto, así fue y así continúa siendo. No he tenido el menor síntoma de esclerosis múltiple en los últimos diez años.

TRIUNFO

No subestimo el camino que he andado. He pasado por una metamorfosis completa. La mayor parte del tiempo no vi la luz, pero me mantuve firme en mis esfuerzos para llegar a mi destino. Ahora sé que en los peores momentos fui guiada y protegida. Conozco el poder de Dios.

Mi transformación completa no habría podido ocurrir sin cuestionar y atacar cada componente de mi existencia. Sólo seguir la dieta, tomar fungicidas y suplementos, y quitarme las amalgamas de mercurio no habría sido suficiente. Era necesario examinar y liberar las experiencias atemorizantes de mi niñez. Y tomar esos pasos requirió conciencia, aceptación y sentido de responsabilidad de que mi cuerpo se encontraba físicamente dañado.

Mis relaciones con quienes me rodean han cambiado; especialmente con mis padres. Ahora entiendo que la dinámica en la que crecí encendió mi fuerza y mi valor y me convirtió en quien soy actualmente. Ahora puedo interactuar con ellos desde la confianza y la neutralidad.

Ellos fueron mis mejores maestros y sé que hicieron lo mejor que pudieron. Entiendo que por la dificultad de su niñez tienen ciertos patrones y ciclos negativos. Humildemente, también sé que con la revelación de nuestros patrones todos podríamos tomar decisiones diferentes en donde nos hemos equivocado.

Debo agradecer a la comunidad médica occidental por haberme llevado a los límites, más allá de los protocolos, para encontrar respuestas. Tuvo sus ventajas convertirme en el conejillo de indias ya que aprendí, de primera mano, que el cuerpo se puede regenerar y reparar, aun a pesar de la adversidad.

El agente que ataca en la esclerosis múltiple, o en cualquier enfermedad, no es únicamente un fermento, un virus o la falla de un órgano del sistema; es mucho más que eso. Es la culminación de la historia de los pensamientos de cada individuo, sus emociones, su nivel de estrés, su conexión espiritual, su genética, su dieta y los factores ambientales. La memoria celular almacena cada elemento y recuperar la salud implica, en parte, descubrirla, liberarla y restaurar la vitalidad. El cuerpo busca de manera inherente el equilibrio y la salud. Para que se dé una enfermedad autoinmune es solamente cuestión del momento en que las toxinas que albergamos sobrepasan la capacidad de nuestro cuerpo para eliminarlas. En su libro *Spontaneous Healing*, el doctor Andre Weil dice así: "Una de las formas más efectivas para neutralizar el pesimismo médico es encontrar a alguien que haya tenido el mismo problema que tú y que se haya curado. Cada vez que veo a alguien que ha resuelto un problema de salud importante, le pregunto si me permite enviarle de vez en cuando a pacientes similares para que les dé guía y consejo".[2]

Durante los últimos nueve años he ayudado a miles de pacientes para que recuperen su salud. En la tercera parte de este libro leerás casos de éxito de algunos de mis pacientes. Mi especialidad reside en mi capacidad de ayudar a los demás a encontrar las causas originales de su enfermedad. Mi misión consiste en hacerles sentir a aquellos que luchan con la enfermedad, como me pasó a mí, que la curación es posible. Con determinación, paciencia, el protocolo adecuado y el "conocimiento", todo está al alcance para transformar tu cuerpo y tu mente.

NOTAS

[1] William G. Crook, *The Yeast Connection: A Medical Breakthrough*, Vintage Books, Nueva York, Nueva York, 1986.

[2] Andrew Weil, *Spontaneous Healing: How to Discover and Enhance Your Bodies Natural Ability and Maintain and Heal Itself*, Ballantine Books, Nueva York, 1995.

SEGUNDA PARTE

La verdadera causa
de la esclerosis múltiple

CAPÍTULO 2

•

La esclerosis múltiple y la conexión con la cándida

¿QUÉ ES LA ESCLEROSIS MÚLTIPLE?

La esclerosis múltiple es una enfermedad autoinmune del sistema nervioso central (SNC - cerebro y médula espinal). Afecta a más de tres millones de personas alrededor del mundo y al menos a 500 mil en Estados Unidos. Las mujeres tienen el doble de probabilidades de desarrollar la esclerosis múltiple que los hombres. La enfermedad se da más en climas templados como en Estados Unidos y en el norte de Europa y comúnmente ataca a adultos entre los veinte y los cuarenta años de edad.

Un buen número de pruebas, que incluyen la resonancia magnética, los electroencefalogramas, las biopsias espinales, los análisis sanguíneos y los análisis de potencial evocado visual, somatosensorial y cerebral (PE, las señales eléctricas que resultan del estímulo sensorial) son utilizadas para diagnosticar la esclerosis múltiple.

Dada su condición inflamatoria desmielinatizante que destruye y evita la conducción de los impulsos nerviosos, la esclerosis múltiple produce muchos síntomas. La mielina es el tejido adiposo blanco que aísla los nervios. En los casos de esclerosis múltiple, la mielina se inflama y se desprende de las fibras nerviosas. Eventualmente, la mielina desprendida se convierte en parches de tejido cicatrizado (esclerosis) que se forma sobre las fibras. Estas lesiones pueden darse en diferentes zonas del cerebro y la médula espinal. La esclerosis múltiple se considera incurable y millones de dólares se han gastado para encontrar su causa.

Síntomas y clasificaciones

No existe un perfil definitivo que defina la esclerosis múltiple. Los síntomas son variados, como fatiga, parálisis, visión borrosa y doble, insensibilidad, falta de coordinación, hormigueo, mareos, espasmos, imposibilidad de hablar o de tragar, problemas de vejiga y de intestinos, hipersensibilidad al calor, disfunción cognoscitiva (pérdida de memoria y patrones de pensamiento), disfunción sexual, dolor y temblores.

La esclerosis múltiple se clasifica de la siguiente manera:

- Benigna: usualmente uno o dos ataques con recuperación total. Esta forma no empeora.
- Remitente o recurrente: recaídas impredecibles (ataques, exacerbaciones) durante las cuales aparecen nuevos síntomas o se agravan los existentes. Los estallidos son seguidos por períodos de remisión.
- Progresiva primaria: desde la primera aparición de los síntomas, las funciones neurológicas se debilitan sin períodos de remisión.
- Progresiva secundaria: crisis iniciales seguidas por etapas de deterioro continuo posteriores en el curso de la enfermedad.
- Progresiva recurrente: esclerosis múltiple progresiva primaria con el agravante de episodios repentinos de nuevos síntomas o el empeoramiento de los existentes.

EL PROTOCOLO MÉDICO OCCIDENTAL

La medicina occidental define la esclerosis múltiple como incurable. La mayoría de las investigaciones señalan como causa una infección o tal vez un virus, sin que nada concreto se haya identificado.

Las compañías farmacéuticas han desarrollado medicamentos diseñados para reducir los síntomas y disminuir o detener el progreso de la esclerosis múltiple.

- Corticoesteroides intravenosos, como Prednisona y Solu-Medrol, que se recetan para reducir la inflamación y acortar las crisis.

- Baclofen, Zanaflex, Klonopin y Lioresal se administran para tratar los espasmos y el dolor.
- Amantadine y Provigil se utilizan para el manejo de la fatiga.
- Antever para el vértigo.
- Ditropan y Tegretol son indicados para los problemas urinarios.
- Prozac, Zoloft, Celexa y Effexor se usan para minimizar la depresión y la ansiedad.
- Los beta-interferones como el Abonex, el Betaseron y Rebif son copias de proteínas genéticamente diseñadas para ayudar al cuerpo a luchar contra las infecciones virales y mejorar la regulación del sistema inmunológico.
- Copaxone, un medicamento sintético formulado a partir de cuatro aminoácidos, se diseñó para imitar la porción reactiva de la mielina que destruye el sistema inmunológico.
- Naltrexone se utiliza para fortalecer el sistema inmunológico por medio del bloqueo de los receptores opioides que incrementan la producción de endorfinas y encefalinas.
- Los medicamentos de quimioterapia, como el Novatrone, el Cytoxan y el Imuran, se utilizan también para tratar la esclerosis múltiple.
- Uno de los medicamentos más recientes es el Tysabri, conocido anteriormente como Integren, fue retirado voluntariamente del mercado por sus fabricantes en 2005 debido a una fatalidad.

Todas estas drogas tienen efectos secundarios. Las reacciones más ligeras incluyen síntomas similares al resfriado, náusea, dolores de cabeza y musculares. Los efectos más severos son daño en el hígado, convulsiones, suicidio, alucinaciones y parálisis.

El costo anual de estos medicamentos fluctúa entre 10 mil y 14 mil dólares. Desafortunadamente, las compañías farmacéuticas tienen prioridades más importantes que encontrar una cura. Su prioridad más importante es mantener de manera segura sus ingresos.

Creo que la terapia con medicamentos para manejar los síntomas en las últimas etapas de la esclerosis múltiple funciona. Quizá a ti te haya beneficiado este tipo de terapia; pero, ¿por qué conformarse con aliviar los síntomas si podemos atacar la raíz?

INVESTIGACIÓN ACTUAL

La investigación sobre trasplantes de células madre de embriones y adultos es la vanguardia de la investigación de la esclerosis múltiple. La hipótesis es que las células madre se inyectarían en el torrente sanguíneo con la esperanza de restituir los daños nerviosos en el cerebro y en la capa de mielina. Otro enfoque médico es el trasplante de médula ósea, que pudiera remplazar la defectuosa memoria inmunológica del cuerpo con células inmunológicas "limpias".

Los científicos estudian igualmente si la inmunoglobulina intravenosa —las células de proteína que defienden al cuerpo tomadas de donadores humanos sanos y que se inyectan en personas con esclerosis múltiple— parecen haber estimulado el crecimiento de células productoras de mielina. Otros caminos explorados son las vacunas de células T, terapia de venenos de abeja y medicamentos antivirales. Todos estos tratamientos pueden tener cierto valor, pero siguen sin contemplar el panorama completo.

LA CAUSA OCULTA DE LA ESCLEROSIS MÚLTIPLE

El sobre crecimiento de la *Candida albicans* y sus subproductos (micotoxinas) son la causa primaria de la esclerosis múltiple.

Sin embargo, este fermento/hongo patógeno (productor de la enfermedad) es ignorado continuamente por la medicina occidental, a pesar de que es la clave faltante para revertir la esclerosis múltiple.

La *Candida albicans* es un fermento inocuo que vive naturalmente en el cuerpo de todos; hombres, mujeres y niños. Habita en el tracto gastrointestinal, en las membranas mucosas y en la piel. En un cuerpo saludable vive en un mundo simbiótico (equilibrado).

Desafortunadamente, este fermento puede crecer anormalmente y convertirse en un patógeno oportunista.

Como lo dice el doctor Michael Goldberg: "Dado que es un organismo comensal (uno que se beneficia de otro sin dañarlo ni beneficiarlo) presente en prácticamente todos los seres humanos desde el nacimiento, está en una posición ideal para tomar ventaja inmediata de cualquier debilidad en el huésped y probablemente muy pocos se le equiparan en la variedad y gravedad de las infecciones de las que puede ser responsable".[3]

El sobre crecimiento de la cándida y sus micotoxinas puede atacar cualquier órgano o sistema de tu cuerpo. El ataque es incesante: veinticuatro horas al día hasta que se trata. Si no se detiene, el sobre crecimiento del fermento cambiará de forma para convertirse en un hongo patógeno con raíces que causan un sinnúmero de síntomas.

Este hongo fija sus raíces en las paredes intestinales y genera un intestino permeable (aperturas porosas en el tejido intestinal) que permite que el fermento/hongo y sus subproductos escapen hacia el torrente sanguíneo. A esta infección micótica o del fermento se le llama candidiasis y "la *Candida albicans* es el patógeno sistémico más común, causando infecciones sistémicas y mucosas, particularmente en personas con inmunodepresión."[4]

¿QUÉ ES LO QUE CAUSA EL SOBRE CRECIMIENTO DE LA CÁNDIDA?

La principal causa del sobre crecimiento de la *Candida albicans* son los antibióticos, los esteroides (cortisona, prednisona), los anticonceptivos, la terapia de reemplazo de estrógenos, las malas dietas, la quimioterapia, la radiación, los metales pesados, el abuso del alcohol, las drogas y el estrés. Es fácil ver cómo la incidencia de la candidiasis es tan alta, dado que los principales contribuyentes son parte de los protocolos principales de la medicina occidental, así como las malas dietas y la sobrecarga de estrés de nuestra sociedad.

LOS INCONVENIENTES DE TOMAR ANTIBIÓTICOS

América del norte y algunas áreas en Europa tienen el mayor número de personas con candidiasis debido a que el protocolo estándar de la medicina occidental considera el uso de la terapia con antibióticos para tratar las infecciones comunes.

No hay duda de que los antibióticos han salvado miles de vidas, pero hemos llevado las cosas muy lejos al recetar en exceso estos medicamentos. El exceso en el uso también genera "súper gérmenes" que son resistentes a los antibióticos comunes, por lo que los gérmenes que en un momento se podían matar se han vuelto una amenaza para la vida.

Un círculo vicioso comienza con el uso de los antibióticos (*ver* Figura 2.1). Por ejemplo, tienes una infección, comúnmente un resfriado o un catarro, y vas a ver al médico. El problema empieza ahí porque tanto los resfriados como los catarros son infecciones virales y no bacteriales, para las que se diseñaron los antibióticos. Los antibióticos son inútiles para combatir los catarros y los resfriados.

Sin embargo, tomas el antibiótico, que mata las bacterias buenas y las malas en tu tracto gastrointestinal ya que no puede distinguir entre lo bueno y lo malo. Los antibióticos no afectan a la *Candida albicans*, por lo que sin las bacterias positivas como el *Lactobacilus acidophilus* y la *Bifidobacteria*, que mantienen a la cándida bajo control, provocan su multiplicación.

Tabla 2.1 Daño causado por el acetaldehído

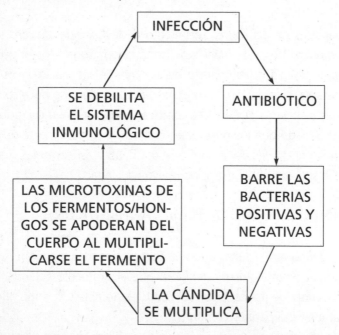

Cortesía de William G. Crook, *The Yeast Connection Handbook*, Professional Books, 2000. Usado con la autorización del autor.

Solamente se necesita una dosis de antibiótico en tu vida para elevar los niveles del fermento, el cual genera desequilibrios en tu cuerpo. Piensa cuántas veces has tomado antibióticos, sin mencionar tu ingesta diaria de productos lácteos y animales.

LAS MICOTOXINAS DE LA CÁNDIDA

Una vez que la cándida está en condición de sobre crecimiento, el cuerpo tiene que lidiar no solamente con éste sino con el hecho de que la *Candida albicans* emite sus propios subproductos o micotoxinas —"79, según el último conteo", de acuerdo con el doctor Orian C. Truss—, los cuales debilitan tu sistema inmunológico y atacan la capa de mielina en aquellos que sufren de esclerosis múltiple.

Las micotoxinas son neurotoxinas que destruyen y descomponen tejidos y órganos. Las micotoxinas son tan poderosas que alteran la comunicación esencial de las interacciones celulares, interfieren en la síntesis del ARN y del ADN, dañan y destruyen las neuronas, son carcinógenas y producen ataxia (falta de coordinación) y hasta convulsiones. Estas toxinas perniciosas del fermento confunden a los sistemas del cuerpo que resultan en el cruce de cables de tu sistema inmunológico cuando tienes esclerosis múltiple.

Las toxinas de la cándida se filtran comúnmente a través del tejido intestinal cuando se hace permeable. Entonces penetran en el torrente sanguíneo donde el hígado lo puede desintoxicar. Sin embargo, si la capacidad desintoxicante del hígado está dañada debido a una nutrición inadecuada y una sobrecarga tóxica, esas toxinas se establecerán en otros órganos y tejidos como el cerebro, el sistema nervioso, las articulaciones, la piel y así sucesivamente. Con el tiempo una enfermedad crónica aparecerá.

Una de las mayores toxinas producida por la *Candida albicans* es el acetaldehído, que se transforma en el hígado en etanol (alcohol) y genera sensación de intoxicación, pensamientos nublados, vértigo y pérdida del equilibrio. El acetaldehído altera la estructura de los glóbulos rojos y las rutas de transporte de los materiales necesarios para alimentar a las dendritas (las extensiones de las células nerviosas). Esto provoca que las dendritas se atrofien o mueran, lo que genera una deficiencia de tiamina (vitamina B₁), crítica para el funcionamiento del cerebro y de los nervios (*ver* Tabla 2.1). La vitamina B₁ es esencial para la producción de acetilcolina, que es uno de los neurotransmisores principales del cerebro. La deficiencia acarrea una apatía emocional, depresión, fatiga, insomnio, confusión y pérdida de la memoria. El acetaldehído también destruye la niacina (vitamina B₃), que es esencial para ayudar a las células a quemar la grasa y los azúcares para generar energía. La niacina también ayuda a la producción de serotonina, que afecta el humor y el sueño, así como en la producción de una coenzima que descompone el alcohol. El acetaldehído también reduce las enzimas que ayudan a producir energía en todas las células, incluyendo las del cerebro.

La gliotoxina, otra micotoxina, genera cambios en el ADN de los glóbulos blancos, lo cual suprime el sistema inmunológico y desactiva enzimas importantes que remueven toxinas en el cuerpo.

Tabla 2.1 Daño causado por el acetaldehído

El acetaldehído provoca daño en el funcionamiento cerebral
• Daño en la memoria • Disminución de la capacidad de concentración (mente nublada) • Depresión • Disminución de los reflejos • Letargo y apatía • Aumento de la irritabilidad • Decremento de la energía mental • Incremento de la ansiedad y el pánico • Disminución de la exactitud sensorial • Aumento en la tendencia a la ingestión de alcohol y azúcar • Disminución de la libido • Aumento de los síntomas premenstruales y causante de la inflamación o flacidez del pecho en la mujer Fuente: Vitamin Research Products Nutritional News, Maestro James A. South, julio de 1997.

Mientras el sistema inmunológico continúa debilitándose por el fermento/hongo y las micotoxinas, surgirán más infecciones y terminarás en el consultorio médico con otra receta de antibióticos, lo cual perpetúa el círculo vicioso.

FACTORES QUE MOTIVAN EL CRECIMIENTO EXCESIVO DEL FERMENTO

El sobre crecimiento del fermento se detona por las dietas altas en azúcares refinadas, carbohidratos refinados, productos lácteos, alcohol, alimentos procesados y hormonas generadas por altos niveles de estrés. El estrés agudo y crónico eleva el cortisol, una hormona producida por las glándulas adrenales. Un exceso de cortisol eleva el azúcar en la sangre y a los hongos no les importará si el aumento de azúcar se debe a que comiste dulces o a que tuviste un episodio de estrés extremo: utilizarán el azúcar como combustible para reproducirse.

Como lo mencioné anteriormente, se necesita solamente una dosis de antibióticos en tu vida para elevar los niveles del fermento. Si tu última toma de antibióticos fue cuando tenías diez años, pero tu mala dieta y los niveles de estrés continúan alimentando al fermento podrán empezar a aparecer síntomas.

LOS OBJETIVOS PREFERIDOS DE LA CÁNDIDA

El sobre crecimiento de la *Candida albicans* ataca principalmente los nervios y los músculos, pero puede atacar cualquier tejido u órgano dependiendo de tu predisposición corporal genética (*ver* Tabla 2.2). Imagina que tu cuerpo tuviera dos pieles de protección que te cubren de los invasores externos. Una es la piel externa y la otra es tu piel interna, que comienza en tus fosas nasales y se prolonga hasta llegar al recto. Este tejido es el mismo desde arriba hasta abajo, y si se inflama o se irrita las membranas se vuelven más porosas. Esto permite que los invasores externos entren al torrente sanguíneo e irrumpan en la barrera del cerebro y la sangre.

Tabla 2.2 Sobre crecimiento del fermento/hongo

(Efectos causados directa o indirectamente por el sobre crecimiento)

Enfermedades autoinmunes
ALS
Síndrome de fatiga crónica
Fibromialgia
VIH/SIDA
Enfermedad de Hodgkin
Leucemia
Lupus
Esclerosis múltiple
Distrofia muscular
Miastenia gravis
Artritis reumatoide
Sarcoidosis
Escleroderma
Sistema sanguíneo
Infecciones crónicas
Deficiencia del hierro
Trombocitopenia
Púrpura
Cáncer
Cardiovascular
Endocarditis
Pericarditis
Prolapso de la válvula mitral
Problemas de las válvulas
Aparato digestivo
Anorexia nerviosa
Flatulencia / gases
Deseo de carbohidratos y azúcares
Colitis
Constipación / diarrea
Enfermedad de Crohn
Disbiosis
Alergias a los alimentos
Gastritis
Agruras
Dolor intestinal
Síndrome del colon irritable
Intestino permeable
Mala absorción / mala digestión
Aparato respiratorio
Oídos / ojos / boca
Asma
Bronquitis
Mareos
Dolor de oídos
Alergias al ambiente
Sensibilidad a químicos
Fiebre del heno
Aftas bucales

Sinusitis
Sistema endócrino
Fallas de las glándulas adrenal y tiroides
Diabetes
Desequilibrios hormonales
Hipoglucemia
Insomnio
Sobrepeso / peso menor al debido
Piel
Acné
Erupción por los pañales
Piel seca y comezón
Eczema
Urticaria
Caída del cabello
Lepra
Manchas hepáticas
Soriasis
Sistema nervioso
Alcoholismo
Ansiedad
Desorden de déficit de atención
Autismo
Mente nublada
Depresión
Dolor de cabeza
Hiperactividad
Hiperirritabilidad
Problemas de aprendizaje
Desorden maníaco-depresivo
Pérdida de memoria
Migrañas
Esquizofrenia
Suicidio
Urinario / Reproductor
(Femenino / Masculino)
Cistitis
Endometriosis
Fibroides
Impotencia
Pérdida de la libido
Irregularidad menstrual
Síndrome premenstrual
Prostatitis
Enfermedades de transmisión sexual
Uretritis
Infecciones vaginales micóticas
Virus
Virus de Epstein-Barr

La opinión del mundialmente renombrado neurólogo David Perlmutter sobre la esclerosis múltiple:

> La frecuencia de las lesiones de materia blanca en pacientes con inflamaciones de intestino, es tan alta como la de pacientes con esclerosis múltiple. Este descubrimiento nos brinda una evidencia convincente de la relación entre las anormalidades digestivas y la patología cerebral. La investigación reciente revela con claridad una importante relación entre la esclerosis múltiple y los problemas en el aparato digestivo, tales como inflamación en el intestino, el crecimiento desmedido de fermentos y niveles bajos de bacterias saludables. Este organismo, la Candida albicans, se ha relacionado con enfermedades hiperinmunes y especialmente con la esclerosis múltiple.[5]

La *Candida albicans* y sus micotoxinas se acumulan en el sistema nervioso central, donde atacan y generan lesiones en la cubierta de mielina. En este punto, todo el cuerpo está saturado con toxinas que provocan el deterioro de los sistemas secundarios de otras partes del cuerpo. Como el sistema inmune se sigue debilitando por los ataques constantes de los hongos, sus subproductos y los agentes inflamatorios, el cuerpo entra en un estado catabólico y los tejidos, músculos y órganos viven una crisis. La toxicidad crónica sobrecarga al sistema inmunológico, que en ese momento pierde su capacidad de funcionamiento y comienza a atacarse a sí mismo. Ésta es una explicación muy simplificada de cómo se genera una enfermedad autoinmune.

Perlmutter vigila rutinariamente el crecimiento desmedido de los fermentos y administra a los pacientes de esclerosis múltiple tratamientos que los atacan. Él menciona que:

> El posible vínculo entre algunas enfermedades autoinmunes y la infección de la Candida albicans ha sido descrito por respetados investigadores durante las últimas dos décadas. Creemos que estos datos brindan una poderosa evidencia de que la candidiasis puede darse, al menos muy frecuentemente, en pacientes con

esclerosis múltiple. Además, esta información parece indicar que la disbiosis intestinal puede ser común en los pacientes de esclerosis múltiple. Actualmente practicamos de forma rutinaria análisis de serumen, buscando complejos de cándida inmune y de anticuerpos de cándida (IgG, IgM e IgA), así como análisis coprológicos completos en nuestros pacientes con esclerosis múltiple. El éxito obtenido en reducir la fatiga en la esclerosis múltiple con tratamientos específicos para reducir la actividad de la cándida, nos brinda apoyo adicional para sugerir la relación entre la fatiga vinculada a la esclerosis múltiple y la actividad de la cándida. Más aún, sugerimos que la disbiosis intestinal puede jugar un papel fundamental en la patogénesis de la esclerosis múltiple como una enfermedad autoinmune.[6]

Otro neurólogo, R. Scott Heath, realizó un estudio en pacientes con esclerosis múltiple, sometiéndolos a una dieta para combatir la cándida y Diflucan. Heath afirma que: "Ningún paciente experimentó crisis mientras siguió la dieta y se le administró el Diflucan".[7]

DESEQUILIBRIOS EMOCIONALES Y MENTALES

Los desequilibrios mentales y emocionales son comunes cuando hay un crecimiento anormal de la *Candida albicans*. La depresión y la ansiedad son componentes casi constantes de las enfermedades sistémicas relacionadas con el crecimiento del fermento en los tejidos. Esto se debe, según describe J. P. Nolan en un artículo que aparece en la revista *Hepatology*, al vínculo existente entre el intestino y el cerebro: "La capacidad del individuo de protegerse contra sustancias activas en el cerebro depende de la condición de la flora intestinal, de la función de la mucosa gastrointestinal y la capacidad desintoxicante (del hígado)".[8] Esto implica que cuando hay presencia de colon permeable y el hígado está sobrecargado, la puerta queda abierta para que las toxinas lleguen al cerebro a través del torrente sanguíneo.

Desafortunadamente, muchos médicos piensan que todos los desequilibrios mentales o emocionales tienen causas psicológicas, como neurosis o psicosis mientras que, como dice Truss en su libro *The Missing Diagnosis*:

> Me gustaría hacer un llamado especial a hablar de que las manifestaciones de un funcionamiento anormal del cerebro no sean vistas como "síntomas mentales" sino "síntomas cerebrales". El término "síntomas mentales" connota que de alguna forma "la mente" es una entidad separada del cerebro y que los "síntomas mentales" suceden (al menos inicialmente) en un cerebro que funciona química y psicológicamente de forma normal. Hablamos de los síntomas de los riñones, del hígado o del intestino cuando se manifiesta una anormalidad en su funcionamiento, pero empleamos el término "síntomas mentales" en lugar de "síntomas cerebrales" cuando un problema similar se presenta en la fisiología cerebral".[9]

Si tienes esclerosis múltiple la ansiedad y la depresión te pueden debilitar, pero estos síntomas son un desequilibrio químico generado por una sobrecarga del sistema inmunológico, combinado con el estrés psicológico asociado a un estado físico grave. Tus equilibrios mentales y emocionales deben ser atendidos en lugar de ser ignorados o descartados.

LA NEGACIÓN DE LA MEDICINA OCCIDENTAL

Al día de hoy, la medicina occidental no acepta la candidiasis intestinal y sistémica. Que no te sorprenda si llevas esta información a tu neurólogo y la descarta o te dice que enloqueciste. Es poco común que los doctores que de forma habitual reconocen y tratan el sobre crecimiento de la *Candida albicans* en casos de aftas bucales, infecciones vaginales o en pacientes con VIH/SIDA, cuyos sistemas inmunológicos están gravemente afectados, se rehúsen a aceptar que la esclerosis múltiple puede ser vista con los mismos ojos, dado que es también otro estado de afectación del sistema inmunológico.

Sin embargo, los antibióticos, los medicamentos hormonales, las píldoras anticonceptivas y los esteroides representan millones de dólares. Los médicos van a ser los últimos en reconocer que la candidiasis intestinal existe, o en admitir que los medicamentos que recetan con tanta libertad están generando el problema. Hay algunos buenos médicos que atienden casos de candidiasis intestinal y sistémica, pero son todavía muy pocos y están muy alejados entre sí.

ESTABLECER LA CONEXIÓN: LA CÁNDIDA Y LA ESCLEROSIS MÚLTIPLE

Todas o la mayoría de las enfermedades autoinmunes son generadas por toxinas micóticas o de los fermentos. La diferencia estriba en si las toxinas micóticas son la causa primaria o secundaria. Para la gente con esclerosis múltiple, son el agente de ataque primario.

Las similitudes entre la candidiasis y la esclerosis múltiple son las siguientes:

- La esclerosis múltiple afecta más a las mujeres que a los hombres, al igual que la candidiasis.
- Los síntomas de la esclerosis múltiple afectan al sistema nervioso (insensibilidad, hormigueo, fatiga, mala coordinación, frecuencia urinaria, depresión y visión errática). Son también los síntomas de la candidiasis crónica.
- El síntoma más común en ambas es la fatiga.
- La disbiosis intestinal, un desequilibrio entre las bacterias buenas y malas en el intestino, es común en ambas.
- Ambos cuadros suprimen el sistema inmunológico y provocan que el cuerpo entre en un estado inflamatorio.
- Los pacientes con candidiasis tienen una deficiencia de vitaminas y minerales, al igual que las personas con esclerosis múltiple.
- Las alergias a los alimentos y la intolerancia al gluten están presentes en ambos padecimientos.
- Ambas condiciones se han relacionado al virus de Epstein-Barr.
- Finalmente, ambas responden bien a los cambios en la dieta y a un régimen antimicótico.

Puedes eliminar la esclerosis múltiple si cambias tu estilo de vida, los factores relacionados con tu alimentación, si eliminas los metales pesados de tu cuerpo, reduces el estrés y cambias de residencia geográfica. Las variaciones de esos factores representan períodos de descanso y remisión de los síntomas. No importa en qué etapa de la esclerosis múltiple estés, el tratamiento de la candidiasis resulta esencial para darle la vuelta a tu situación.

La correlación entre la candidiasis y la esclerosis múltiple se establece de forma sencilla y no por eso debe ser ignorada. Es el ingrediente faltante que estabas buscando. El crecimiento desmesurado de la *Candida albicans* es el catalizador invisible que provoca esta enfermedad incurable.

CAPÍTULO 3

•

Factores secundarios que contribuyen a la esclerosis múltiple

LOS FACTORES QUE DESENCADENAN LA ENFERMEDAD

En el mundo de hoy existen más factores que nunca que afectan tu cuerpo y desencadenan enfermedades: los alimentos basura que comes, los químicos sintéticos y las toxinas que absorbes, así como la sobrecarga de estrés emocional y mental que enfrentas.

Cuando tu capacidad de eliminar toxinas es sobrepasada surgen las enfermedades. Tu doctor te prescribe medicamentos, pero éstos solamente agregan más toxinas al cuerpo y enmascaran los síntomas sin llegar a la raíz del problema. Sí, los medicamentos son útiles en algunas ocasiones, pero la mayoría están diseñados para aliviar los síntomas.

El punto consiste en ir más allá de los síntomas y encender los propios mecanismos de defensa de tu cuerpo para que se cure. Cuando las toxinas y las tensiones son eliminadas y las vitaminas y minerales se balancean, el cuerpo trabajará para restablecerse. No son los factores externos como los gérmenes que adquieres. Más bien es tu ambiente interno que se ve comprometido y produce las condiciones favorables para que se aprovechen los microbios como bacterias, virus, parásitos y fermentos. Hasta Louis Pasteur, el famoso científico francés que descubrió los gérmenes, dijo al final de su vida que era más importante observar como causa de las enfermedades al ambiente interno que a los gérmenes que las provocan.

A pesar de que la candidiasis es la causa primaria de la esclerosis múltiple, vale la pena estudiar otros factores secundarios. Éstos incluyen las amalgamas, los virus, las vacunas, las malas dietas y las alergias a los alimentos, los traumatismos físicos, el estrés psicológico y la toxicidad ambiental.

LAS AMALGAMAS DE PLATA Y MERCURIO

Las amalgamas de plata y mercurio contienen 52 por ciento de mercurio. Los demás metales son la plata, hierro, cobre y trazas de zinc. Diversos estudios han demostrado que las amalgamas suprimen el sistema inmunológico y pueden causar enfermedades (ver Tabla 3.1). La esclerosis múltiple es uno de los estados resultantes relacionados con el envenenamiento por mercurio.

En muchos países de Europa se prohíbe el uso de amalgamas, pero la Asociación Dental Americana continúa afirmando que son seguras. El mercurio es un metal tóxico y venenoso que se acumula en los nervios, el cerebro, los riñones y el hígado de quienes son expuestos a él. A la mayoría de nosotros nos aplicaron una amalgama cuando éramos niños y todavía las conservamos en nuestra edad adulta. Las amalgamas se usaban debido a su durabilidad. El problema es que con el tiempo se desgastan y se rompen: "El mercurio se escapa de las amalgamas en forma de vapor al masticar. Cuando entra en el torrente sanguíneo se distribuye en todo el cuerpo, incluyendo el cerebro. Concluimos que la intoxicación con mercurio es un desorden autoinmune. El mercurio es el elemento de la tierra no radioactivo más tóxico y las amalgamas contienen 52 por ciento de mercurio".[10]

Tabla 3.1 Síntomas de exposición crónica a dosis bajas de mercurio

- Dolor abdominal
- Reflejos anormales
- Productos adversos en el embarazo
- Anorexia (falta de apetito)
- Anuria (cese de la producción de orina)
- Ataxia (dificultad para moverse)
- Problemas para caminar
- Eretismo (nerviosismo, irritabilidad, inestabilidad del humor, sonrojamiento)
- Salivación excesiva
- Gastroenteritis (estomago molesto)
- Gingivitis (inflamación de las encías)
- Glioblastoma (cáncer de cerebro)
- Disfunción del sistema inmunológico
- Pérdida del oído
- Pérdida de la conducción nerviosa
- Infertilidad
- Dolor de boca
- Nefritis (enfermedad de los riñones que hace que dejen de funcionar)
- Cambio de la personalidad
- Neumonitis (enfermedad de los pulmones)
- Hormigueo o picazón en la piel (parestesia)
- Daños renales
- Desorden del lenguaje
- Tendencias suicidas
- Temblores
- Uremia (aparición de productos de la orina en la sangre)
- Problemas de la vista
- Vómito

No todo aquél con esclerosis múltiple tiene amalgamas, por lo que es solamente una pieza del rompecabezas. Yo recomendaría a los pacientes con esclerosis múltiple y que tienen amalgamas, que se las quiten. Es un factor importante que vale la pena discutir con el medico y dentista.

Virus y bacterias

Todos nosotros hemos estado expuestos a los virus desde la infancia. La fortaleza o debilidad de tu sistema inmunológico determina los virus que te afectan en la vida.

Al apoderarse los hongos y sus subproductos de tu cuerpo, el organismo es privado de oxígeno. Esta ecología desequilibrada genera un terreno fértil para que surjan las infecciones bacterianas, virales y parasitarias.

Muchos virus y bacterias se muestran de manera más consistente que otros en la sangre de aquéllos con esclerosis múltiple. Éstos son la *Borrelia burgdorferi*, que se transmite a través de las picaduras de pulga, responsable de la enfermedad de Lima; el virus del herpes humano 6 (vhh-6), que comúnmente causa la rubéola en los niños; la *Chlamydia pneumonia*, comúnmente implicada en las infecciones respiratorias; el citomegalovirus y el virus de Epstein-Barr, que pueden producir mononucleosis.

En un artículo publicado en diciembre de 2001 titulado "Virus y Esclerosis Múltiple" (en *JAMA*; 286 (24), 3127-29), el doctor Donald H. Gilden menciona evidencias de que el virus de Epstein-Barr, que puede provocar la mononucleosis, puede también aumentar el riesgo de esclerosis múltiple.[11] El virus de Epstein-Barr aflora en aquéllos con sobre crecimiento de la cándida. Las toxinas del fermento generan un ambiente propicio para que el virus tome el control. El sobre crecimiento de la cándida es el precursor para que el virus de Epstein-Barr se active.

Todas estas infecciones son relevantes y se deben enfrentar cuando tienes esclerosis múltiple. Al tratar la candidiasis también atacarás a los virus, bacterias y parásitos.

Vacunas

Las vacunas son muy controvertidas, por decir lo menos. El objetivo de una vacuna es crear la resistencia a una enfermedad al inyectar un microorganismo débil o muerto de la misma. Desafortunadamente, las vacunas pueden generar o contribuir a que ocurran complicaciones graves, incluyendo el autismo, las alergias, el síndrome de muerte súbita infantil y las enfermedades autoinmunes.

El riesgo es incrementado debido al Timerosal, un polvo soluble en agua, de color cremoso y cristalino que tiene 49.6 por ciento de su peso de mercurio y que se utiliza como conservador en muchas vacunas. Como mencioné anteriormente, el mercurio es tóxico y venenoso.

Otro ejemplo de complicaciones por las vacunas sucedió a principios y mediados de la década de los años cincuenta del siglo xx, cuando la administración de penicilina como antibiótico se hizo común.

Esto fue al mismo tiempo en que se administraron las primeras vacunas contra la polio. El uso indiscriminado de la penicilina y de las vacunas de la polio estableció las condiciones para que las dos interactuaran y generaran infecciones micóticas.

Las repercusiones fueron los retrovirus que surgieron posteriormente. El daño posterior a la vacuna no siempre es obvio de manera inmediata. Puede tomar semanas, meses y hasta años en manifestarse en el cuerpo. En 1967, el *British Medical Journal* publicó varios estudios mostrando la conexión entre las vacunas contra la polio, la difteria, las paperas, el tétano y la viruela con el desarrollo de esclerosis múltiple en años posteriores.[12]

Recientemente se ha centrado la atención en la correlación entre la vacuna de la hepatitis B (vhb) y la esclerosis múltiple. En un artículo publicado en *Annals of Pharmacotherapy*[13] se concluye que la vhb se asocia con la esclerosis múltiple junto con otros graves padecimientos. Esta vacuna se administra actualmente a los recién nacidos antes de que salgan del hospital. Sin embargo, esta vacuna es una sustancia altamente tóxica para los infantes, cuyas barreras en la sangre y el cerebro, así como en su sistema inmunológico, no están totalmente desarrolladas.

Estrés

El estrés es actualmente el quebrantador número uno del cuerpo. El estrés es la suma total de todos los impactos físicos a los cuales nos enfrentamos. Cuando tu capacidad de enfrentamiento se sobrecarga, el estrés se convierte en tensión. Las presiones del trabajo, los problemas en las relaciones, el estado de salud, el ruido y la contaminación, las preocupaciones financieras y la necesidad de mantenerte al día con el acelerado ritmo de vida, generan tensión. Todos necesitamos cierto grado de estrés en nuestra vida para sentirnos útiles, pero la mayoría de nosotros estamos en una sobre marcha física, mental y emocional, al punto de llegar al desequilibrio.

Las personas que padecen esclerosis múltiple tienen un factor en común, previo al diagnóstico; sufrieron un evento psicológico extremadamente traumático y/o altos niveles de estrés crónico. El estrés físico, emocional y mental debilita tu sistema nervioso central.

Cómo daña tu cuerpo el estrés

El cuerpo tiene un sistema nervioso simpático y otro parasimpático. El parasimpático domina cuando estás descansando, respirando cómodamente y con una frecuencia cardiaca normal. El dominio simpático representa tu mecanismo de respuesta para luchar o escapar. Te pone en acción al llenar tu cuerpo, en primer lugar con adrenalina, y luego con cortisol, los cuales siguen actuando durante horas. Ambos sistemas tienen su lugar particular en la vida cotidiana, aunque actualmente la mayoría de la gente permanece en estado simpático demasiado tiempo.

El estrés crónico genera, a fin de cuentas, agotamiento adrenal. Eventualmente las hormonas adrenales, el cortisol y la dehidroepiandrostrona (DHEA, una hormona que evita el envejecimiento que también se produce en las glándulas adrenales) actúan mal o no generan ninguna respuesta. Esta proporción anormal de cortisol contra la DHEA compromete tu sistema inmunológico y te hace sentir exhausto. La actividad suprimida de los glóbulos blancos afecta tu sistema endócrino (hormonal), destruye los nutrientes y establece el terreno para que florezcan las infecciones por fermentos, bacteriales y virales. Los radicales libres (átomos que dañan a las células), conocidos como estrés oxidante, se vuelven igualmente abundantes y destruyen células cerebrales y tejidos, como por ejemplo, la cubierta de mielina.

La proporción elevada de cortisol con respecto a la DHEA aumenta la presión sanguínea, la respiración y la frecuencia cardiaca; disminuye el azúcar en la sangre y la sensibilidad a la insulina; acelera la pérdida en los huesos, la acumulación de grasa y el desgaste muscular; genera insomnio y daña la capacidad del cuerpo para desintoxicarse de los metales pesados. Lo más importante es que el cortisol elevado disminuye los niveles de secreción de IgA (anticuerpos mucosos), que protegen la membrana intestinal. Cuando esta barrera se debilita, los fermentos, los hongos, las partículas de comida que no se han digerido y otros antígenos (invasores externos) migran a la sangre y al sistema linfático, generando una respuesta inflamatoria y comprometiendo a tu sistema inmunológico.

Cuerpo ácido

Para gozar de una salud óptima, tu cuerpo necesita mantener un equilibrio entre la acidez y la alcalinidad. Cada parte del cuerpo tiene valores óptimos de pH (por ejemplo, la sangre, 7.35; la saliva, de 6.4 a 6.8; el intestino delgado, de 5.6 a 6.4).

La acidez es una de las causas principales de inflamación ya que afecta la química corporal. Los antígenos inflamatorios generados por la acidez atacan la capa de mielina y causan desmielinación. ¿A qué ácidos estamos expuestos? A las hormonas del estrés, la cafeína, el alcohol, las drogas, los medicamentos, los cigarros, los alimentos que no son sanos (azúcares refinadas y carbohidratos, el exceso de carne roja, productos lácteos pasteurizados y alimentos procesados) y químicos ambientales. Un cuerpo ácido te lleva a tener un cuerpo inflamado y adolorido que con el tiempo enferma.

El torrente sanguíneo debe mantener un pH alcalino de 7.35 constantemente para mantener la vida del organismo. Tu cuerpo mantiene el pH sanguíneo por medio del uso de sodio y calcio como sistema amortiguador cuando es requerido. Sin embargo, si el calcio de la sangre se utiliza para amortiguar el cuerpo, se produce eventualmente la erosión de los huesos o la osteoporosis. También se desequilibran otras proteínas y minerales que provocan el deterioro de otros tejidos, órganos, articulaciones y huesos. Este daño puede pasar inadvertido durante muchos años debido a que los análisis de sangre aparecerán normales hasta que un órgano o sistema esté exhausto. Entonces la persona se pregunta por qué de pronto tiene una enfermedad auto-inmune.

Trauma

Se han documentado ampliamente un gran número de casos en que la esclerosis múltiple surge después de que el individuo ha experimentado un traumatismo en la cabeza o en la espina dorsal. Estos daños pueden ser menores, como un chichón en la cabeza; o graves, como el latigueo del cuello en un accidente automovilístico o una caída severa. En cualquier caso, el área dañada del cuello o la columna dorsal se convierte en la puerta que permite a las toxinas llegar al sistema nervioso central. Siempre que existe un daño en el cuerpo se produce una inflamación, y donde quiera que haya una inflamación se generan las toxinas derivadas de los fermentos.

Dietas pobres y alergias a los alimentos

La dieta altera tu química corporal positiva o negativamente. Debes comer, no solamente para sobrevivir, sino para mantener tu vitalidad y optimizar el funcionamiento de más de 300 trillones de células que forman tu cuerpo.

Una dieta pobre consiste en azúcares refinadas, productos hechos con harinas blancas, lácteos, ácidos grasos trans y alimentos procesados, los cuales destruyen las funciones celulares y afectan la ecología de tu aparato digestivo.

La ingestión de alimentos desnaturalizados, los cuales evitan que las proteínas se descompongan adecuadamente, da por resultado una digestión defectuosa. Las proteínas sin digerir se pudren en el intestino y alertan al sistema inmunológico sobre la entrada de un antígeno al organismo. Entonces, el sistema inmunológico comienza a producir anticuerpos proteicos para combatir al invasor. Las glándulas adrenales, que abastecen los antihistamínicos naturales, se debilitan con el tiempo al igual que el sistema inmunológico y la persona se vuelve alérgica no solamente a la comida, sino también a las toxinas que hay en el ambiente. Esta respuesta genera una inflamación y así se presentan las alergias a los alimentos.

Toxicidad ambiental

Nuestro medio ambiente contaminado es otro factor que provoca que los tejidos corporales se saturen de toxinas. Estamos rodeados por metales pesados (el cadmio, el plomo y el mercurio), pesticidas e insecticidas, polvo y químicos sintéticos.

Nuestros cuerpos absorben estas toxinas y no las pueden excretar con la misma velocidad con la que entran al cuerpo. Estas toxinas se suman a la carga de nuestro sistema inmunológico, que ya está bajo el ataque de las toxinas digestivas y microbianas.

Genética

Todos heredamos genes que pueden determinar nuestras fortalezas y debilidades. Sin embargo, me he dado cuenta que el fenotipo de cada persona —las características observables o bioquímicas de un organismo, determinadas tanto por las condiciones genéticas como por la influencia del medio ambiente y el estilo de vida—, juega un papel más importante que la genética en la determinación de los desequilibrios que se presentarán. Por ejemplo, un antecedente familiar con esclerosis múltiple.

CONCLUSIÓN

Son diversos los factores que generan la esclerosis múltiple. Para algunas personas es más el estrés psicológico, para otras el sobre crecimiento microbiano y para algunos la exposición a metales pesados. La combinación de los factores mencionados en este libro da cuenta de las variaciones de la esclerosis múltiple, lo cual dificulta encontrar una curación única y explica las respuestas inconsistentes que un paciente puede mostrar frente a cada tratamiento.

La mejor manera de revertir la esclerosis múltiple es informándose y aplicando las terapias y los tratamientos que se ajustan a los síntomas y las necesidades de cada paciente.

CAPÍTULO 4

•

Malas dietas:
basura que entra = basura que sale

LA IMPORTANCIA DE LA DIETA

Tú eres lo que digieres, absorbes, utilizas y eliminas. La dieta es uno de los componentes más importantes de la salud preventiva y es clave para curar un cuerpo enfermo. El tipo de alimentación puede reconstruir o debilitar al sistema inmunológico, así como definir la calidad del proceso de envejecimiento de la persona.

El creciente número de individuos con alergias, diabetes, afecciones cardiacas, enfermedades mentales, enfermedades autoinmunes y distintos tipos de cáncer, se puede atribuir en parte a una dieta poco saludable. La dieta americana promedio consiste en una gran cantidad de grasas trans, azúcar refinada, carbohidratos refinados, cafeína, alcohol y alimentos procesados repletos de químicos y conservadores. ¿Cómo pueden nuestras células lidiar con la comida artificialmente degradada? No pueden.

El hígado, que tiene más de 500 funciones, es el desintoxicante principal de tu cuerpo. Cuando tienes una mala dieta, el hígado, los pulmones, la piel, los riñones e intestinos tienen que trabajar mucho más para eliminar la comida, las toxinas, los conservadores y contrarrestar las toxinas del medio ambiente con las que te enfrentas todos los días. Lo que ingieres es vital para mantener funcionando tu cuerpo correctamente y disminuir el estrés en los órganos. Una enfermedad crónica se equipara con una nutrición deficiente y tóxica durante un período. Los signos de degeneración y carencia se van presentando lentamente hasta que no es posible seguir evadiendo la realidad. Llegado a este punto, probablemente los médicos te encasillen con un diagnóstico, como la esclerosis múltiple, que muchos sienten que nunca superarán.

Es importante detenerse a analizar la relación personal con los alimentos. Es un error pensar que la comida chatarra no va a afectar negativamente cada célula del cuerpo. La respuesta es muy simple: la basura que entra es igual a la basura que sale. Tu cuerpo paga el precio. El síntoma más común que experimentan mis pacientes de esclerosis múltiple es la falta de energía; y la fatiga es el resultado de un cuerpo intoxicado y con una nutrición deficiente. Las buenas noticias son que puedes controlar la comida que eliges y, una vez que te educas, puedes comenzar a hacer ciertas modificaciones: rápidamente notarás una mejoría.

EL IMPACTO DE LA NUTRICIÓN

Con todo su dinero y tecnología, Estados Unidos es uno de los países más enfermos del mundo. Esto se debe a la dieta de baja calidad, a la carne y los lácteos llenos de antibióticos y hormonas, a las grasas trans, a los carbohidratos y las azúcares refinadas.

Los estudiantes de medicina toman aproximadamente 52 mil horas de capacitación, de las cuales solamente seis se refieren a la nutrición. Los pacientes me comentan que sus médicos les dicen: "Lo que comes no tiene nada que ver con tu estado. Tampoco importa si tomas vitaminas o no". Lo anterior no puede estar más alejado de la verdad.

También existe una creencia en la sociedad de que "me voy a morir de cualquier forma; entonces ¿qué importa lo que coma?". Este punto de vista necesita ser reexaminado. Es verdad que todos pereceremos en algún momento, pero es posible envejecer con calidad y mantener nuestra agilidad mental, la flexibilidad y la voz. Cada uno de nosotros tiene la obligación de cuidar su organismo. Aunque somos más que el cuerpo, sin él no existiríamos. Cualquier persona con esclerosis múltiple sabe lo preciada que es la salud. Tomar la decisión de comer saludablemente, con una dieta balanceada, es uno de los secretos para conquistar la esclerosis múltiple.

LOS EFECTOS MENTALES Y EMOCIONALES DE LA DIETA

Uno de los efectos más desdeñados de la dieta es qué tanto afecta tu sistema nervioso y emocional. Una dieta pobre puede generar depresión, ansiedad y una enfermedad mental seria. La falta de vitamina B debido al exceso de carbohidratos refinados y el azúcar, obstruye los neurotransmisores (los mensajeros químicos del sistema nervioso) que te ayudan a dormir y a pensar racionalmente. La ansiedad y la depresión son condiciones generales que se derivan de una dieta pobre.

De acuerdo con el doctor Gerald Ross, "la sensibilidad a la comida, los desequilibrios en la nutrición y la contaminación del aire intramuros puede afectar profundamente al funcionamiento cerebral".[14] Como los demás sistemas del cuerpo, el cerebro y los intestinos están interconectados. Existe una correlación directa entre la toxicidad que se da cuando las partículas y las toxinas de un alimento no digerido cruzan tu intestino y llegan al cerebro. Éstas generan no solamente síntomas físicos, sino también psicológicos —tus emociones y pensamientos se ven afectados por lo que sucede en el cerebro, tu estómago y tu funcionamiento fisiológico en general.

Comer sanamente es tan importante para la salud mental y emocional como para el bienestar físico. Los alimentos enlatados y procesados los despojan de enzimas, vitaminas, minerales y micronutrientes. Nuestras tiendas de abarrotes se han llenado de pasillos de comida muerta desde la Segunda Guerra Mundial, cuando se comenzaron a enlatar y procesar los alimentos para nuestros soldados. Pero la guerra terminó hace más de medio siglo; es tiempo de entender que la comida degradada que compras afecta tu organismo.

DIETAS DE MODA

¿Qué sucede cuando las proteínas, las grasas y los carbohidratos que ingieres son descompuestos en tu cuerpo? Se convierten en aminoácidos, ácidos grasos, glicerol, monosacáridos, vitaminas, minerales y agua; todo lo que tu cuerpo necesita.

Los llamados expertos en dietas están haciendo fortunas al publicar libros que exhortan a eliminar carbohidratos, proteínas o grasas. El hecho es que no hay dos individuos iguales y no existe una dieta que se pueda aplicar por igual a todo mundo. Algunos de estos libros ofrecen puntos de vista válidos, pero es necesario discernir entre ellos. Si evitas o eliminas cualquier grupo alimenticio se generarán desequilibrios en el organismo. Necesitas entender lo que haces y la forma en que tu cuerpo responderá y se compensará si eliminas determinados alimentos. Yo a veces elimino un grupo alimenticio de la dieta de un paciente con esclerosis múltiple, pero es solamente de forma temporal, como una transición para ayudarlo a desintoxicarse o a manejar una crisis. Después de eso, hay que regresar al equilibrio y la moderación.

Azúcar refinada

El azúcar refinada en cualquiera de sus formas (sacarosa, fructosa, jarabe de maíz, etcétera) es una de las sustancias más dañinas que puedes consumir. El azúcar degrada las vitaminas y minerales vitales que necesitas para sostenerte. El azúcar blanca no tiene absolutamente ningún valor nutritivo. Las azúcares refinadas debilitan el cuerpo y desatan estragos en las azúcares sanguíneas, el páncreas y el sistema inmunológico.

La reconocida nutrióloga, Ann Louise Gittleman comenta: "En la literatura médica existen cerca de sesenta dolencias que se han asociado con el consumo del azúcar".[15] El cáncer, la *Candida albicans* y el virus de inmunodeficiencia humana (VIH), todos se desatan con el azúcar.

La intensidad de los síntomas de la esclerosis múltiple empeora y se vuelve más frecuente cuando un paciente ingiere alimentos con

alto contenido de azúcar; y esto es debido a la respuesta inflamatoria que el azúcar produce en el cuerpo. De acuerdo con el doctor
Ray C. Wunderlich y el Ph.D. Dwight K. Kalita, "la ingestión de altas
cantidades de azúcar paraliza la capacidad fagocítica de nuestros glóbulos blancos".[16] Esto significa que tus glóbulos blancos, los cuales
juegan un papel muy importante en el funcionamiento de un sistema
inmunológico fuerte, no pueden identificar y destruir a los invasores
externos. Con el tiempo, esta incapacidad generará enfermedades y
desequilibrios en el cuerpo.

Cuando empieces a leer las etiquetas, verás que casi todos los
alimentos en el mercado, desde los enlatados hasta el pan o la sal,
contienen azúcar en alguna de sus formas. El azúcar refinada se dis-
fraza de sacarosa, fructosa, dextrosa, azúcar morena, glucosa, jugo de
caña evaporado, jarabe de maíz alto en fructosa, lactosa y maltosa.

Estados Unidos es un país adicto al azúcar. En 1890, el americano promedio comía cuatro kilos y medio de azúcar al año. Al día de
hoy, la cifra se sitúa entre los 70 y 90 kilos.

Desafortunadamente, en nuestra sociedad el azúcar no es solamente algo que sabe bien. También es un paliativo emocional. El
azúcar refinada puede satisfacer tus necesidades psicológicas mo-
mentáneamente, pero a fin de cuentas destruirá tu cuerpo. El paso
más importante que debes dar para detener el avance de la esclerosis
múltiple es eliminar el azúcar refinada de tu dieta (ver Tabla 4.1).

Grasas trans (grasas malas)

Estados Unidos está reconociendo finalmente que las grasas trans,
que ya han sido prohibidas en Dinamarca y en Canadá, son los contribuyentes principales de las enfermedades del corazón y otras enfermedades graves.

Cualquier alimento que dice contener aceites o grasas "parcialmente hidrogenadas" o "hidrogenadas" en sus ingredientes, tiene
grasas trans. Esto significa que el aceite ha sido calentado a una alta
temperatura para preservar el alimento más tiempo en el anaquel.
Encontramos las grasas trans en las galletas, los panes, los pastelillos,

los alimentos procesados, las palomitas de microondas, las frituras y las margarinas. La investigación ha mostrado que las margarinas con ácidos grasos trans —no la mantequilla— son la verdadera causa del bloqueo de las arterias. Estas grasas malas son venenosas para todos los enfermos de esclerosis múltiple ya que desencadenan una respuesta inflamatoria en el cuerpo.

Tabla 4.1 Razones por las que el azúcar arruina tu salud

1. El azúcar puede suprimir tu sistema inmunológico.
2. El azúcar trastorna los minerales del cuerpo.
3. El azúcar puede causar hiperacidez, ansiedad, dificultad para concentrarse e irritabilidad en los niños.
4. El azúcar produce un aumento significativo en los triglicéridos.
5. El azúcar contribuye a la reducción de las defensas corporales contra las infecciones bacterianas.
6. El azúcar puede provocar daños a los riñones.
7. El azúcar reduce las lipoproteínas de alta densidad (HDL).
8. El azúcar puede llevar a una deficiencia de cromo.
9. El azúcar puede llevar al cáncer de mama, ovarios, intestinos, próstata o recto.
10. El azúcar aumenta la detonación de los niveles de glucosa e insulina.
11. El azúcar genera deficiencia de cobre.
12. El azúcar interfiere con la absorción del calcio y del magnesio.
13. El azúcar puede debilitar la vista.
14. El azúcar eleva el nivel de los neurotransmisores llamados serotonina.
15. El azúcar puede causar hipoglucemia.
16. El azúcar puede producir acidez estomacal.
17. El azúcar puede elevar los niveles de adrenalina en los niños.
18. La mala absorción del azúcar es frecuente en los pacientes con una enfermedad funcional del intestino.
19. El azúcar puede generar signos de envejecimiento prematuro.
20. El azúcar puede conducir al alcoholismo.
21. El azúcar puede provocar daños en los dientes.
22. El azúcar contribuye a la obesidad.
23. La ingestión elevada de azúcar aumenta el riesgo de la enfermedad de Crohn y de colitis ulcerosa.
24. El azúcar puede generar síntomas comúnmente encontrados en pacientes con úlceras gástricas y duodenales.
25. El azúcar puede generar artritis.

26. El azúcar puede contribuir al asma.
27. El azúcar puede causar una infección por *Candida albicans*.
28. El azúcar puede contribuir a la formación de cálculos biliares.
29. El azúcar puede aumentar el riesgo de enfermedades cardiacas.
30. El azúcar puede causar apendicitis.
31. El azúcar puede aumentar el riesgo de esclerosis múltiple.
32. El azúcar puede causar hemorroides.
33. El azúcar puede fomentar la formación de várices.
34. El azúcar puede elevar los niveles de glucosa y la respuesta de la insulina en usuarios de anticonceptivos orales.
35. El azúcar puede causar enfermedades periodontales.
36. El azúcar puede producir osteoporosis.
37. El azúcar contribuye a la acidez de la saliva.
38. El azúcar puede disminuir la sensibilidad a la insulina.
39. El azúcar provoca un decremento en la tolerancia de la glucosa.
40. El azúcar puede disminuir las hormonas del crecimiento.
41. El azúcar puede aumentar el colesterol.
42. El azúcar puede incrementar la presión sanguínea sistólica.
43. El azúcar puede causar somnolencia y disminuir la actividad en los niños.
44. El azúcar puede generar migrañas.
45. El azúcar puede interferir con la absorción de las proteínas.
46. El azúcar puede causar alergias a los alimentos.
47. El azúcar puede contribuir a la diabetes.
48. El azúcar puede causar toxemia en el embarazo.
49. El azúcar puede contribuir a los eczemas en los niños.
50. El azúcar puede generar enfermedades cardiovasculares.
51. El azúcar puede inhabilitar la estructura del ADN.
52. El azúcar puede cambiar la estructura de las proteínas.
53. El azúcar puede contribuir a la debilidad de la piel al cambiar la estructura del colágeno.
54. El azúcar puede provocar cataratas.
55. El azúcar puede causar enfisema.
56. El azúcar puede causar arterioesclerosis.
57. El azúcar puede promover el aumento de las proteínas de baja densidad (LDL).
58. El azúcar puede generar la presencia de radicales libres en el torrente sanguíneo.
59. El azúcar disminuye la capacidad de funcionamiento de las enzimas.

FUENTE: Ph. D. Nancy Appleton, *Lick the Sugar Habit*. Se utiliza con el permiso correspondiente.

CARBOHIDRATOS REFINADOS

Llamo carbohidratos refinados a la harina blanca, el arroz blanco y a los granos refinados con aglutinantes. Los encontramos en las galletas, las pastas, los panqués, los bagels, los panes y las donas. Los carbohidratos refinados recubren las paredes del tracto gastrointestinal e interfieren en el proceso de absorción de nutrientes y de eliminación de desperdicios. Son irritantes y pueden causar el síndrome de intestino permeable e incluso generar inflamación, alergias y desnutrición.

La marca de pan Wonder indica que está enriquecida con vitaminas y minerales que se han adicionado al producto, pero la verdad es que muchos micronutrientes, la fibra en particular, se pierden cuando la harina es blanqueada y refinada. La fibra es esencial para la eliminación adecuada de las toxinas y para mantener bajos los niveles de colesterol en la sangre. Los carbohidratos refinados contribuyen al aumento de los rangos alarmantes de personas con constipación, colon irritable y desequilibrios en los niveles de azúcar en la sangre ya que se convierten rápidamente en glucosa (azúcar). Esto lleva tanto a la hipoglucemia como a la diabetes. Lo mismo sucede con los agentes blanqueadores que se utilizan en la harina refinada; el triclorato de nitrógeno es venenoso y se ha relacionado con úlceras, esquizofrenia y esclerosis múltiple.

PRODUCTOS LÁCTEOS

Los productos derivados de la leche de vaca son la causa principal de las alergias a los alimentos. Las alergias a estos productos pueden causar problemas en los senos paranasales y malestares gastrointestinales como los gases, la flatulencia, los cólicos y la diarrea. La hiperactividad y la irritabilidad son consecuencias comunes, especialmente en los niños. El asma, los dolores de cabeza, los dolores musculares y de las articulaciones, la depresión, la falta de energía y los problemas en la piel también se atribuyen a alergias a los lácteos.

La introducción de la leche deslactosada, en la cual la lactosa, que es el azúcar de la leche, se ha eliminado, fue para ayudar a aquellos que presentan intolerancia a la lactosa. Sin embargo, existe una diferencia entre ser intolerante a la lactosa y ser alérgico a la leche. La mayoría de la gente tiene las dos cosas. La intolerancia a la lactosa significa que la persona no tiene la enzima que descompone la lactosa. Una alergia a la leche significa que el cuerpo es incapaz de reconocer la proteína de la leche, la identifica como un invasor externo y se defiende creando una respuesta alérgica.

Los libros de medicina expresan que la mejor forma de obtener calcio es bebiendo leche. Esto está dirigido especialmente a las mujeres debido a los altos niveles de osteoporosis en Estados Unidos. Sin embargo, la leche no es la mejor manera de obtener calcio. En 236 mililitros de leche, solamente 30 por ciento del calcio son absorbidos por el cuerpo. La pasteurización destruye la enzima fosfatasa, sin la cual nuestro cuerpo no puede aprovechar el fósforo. Y sin el fósforo no asimilamos el calcio.

Piénsalo. Somos la única especie que bebe leche de otra especie. ¿Cómo obtienen el calcio las vacas? No lo hacen bebiendo leche de otras especies sino por medio del pasto que comen (cuando son bien criadas).

Los alimentos vegetales como las semillas de ajonjolí, las almendras, el brócoli, las zanahorias y las verduras de hojas verde oscuro son ricas en calcio, en algunos casos con un contenido mayor que la leche.

La verdadera causa de las deficiencias de calcio —y de la osteoporosis— es el consumo excesivo de alimentos de acidez alta como la carne, la cafeína, los carbohidratos refinados y las azúcares, así como la leche pasteurizada y los productos lácteos.

El consumo de estos alimentos obliga al cuerpo a extraer el calcio y los minerales de los huesos para amortiguar la acidez en el torrente sanguíneo el cual, como lo mencioné anteriormente, debe mantenerse con un pH alcalino de 7.35; de lo contrario, puede ser mortal. Para mantener ese pH la sangre toma minerales alcalinos del resto del cuerpo, y la bodega más grande de minerales del organismo es el sistema músculo-esquelético.

Los antibióticos y las hormonas en la leche

El factor más importante a considerar al consumir productos lácteos es su contenido de antibióticos y hormonas. De acuerdo con un artículo publicado en *Newsweek*, "se permite que la leche tenga una cierta concentración de ochenta antibióticos diferentes, todos ellos administrados a las vacas para prevenir infecciones en las ubres. En cada vaso, la gente ingiere una cantidad discreta de diversos antibióticos".[17] También se adiciona la hormona de crecimiento bovino (RHCB), que se creó genéticamente para aumentar la producción de leche. Estas hormonas y antibióticos permitidos por el gobierno están generando desequilibrios en niños y adultos.

No me refiero solamente a la leche sino también a sus productos derivados como el queso, la crema, los helados y el yogurt. La Asociación Americana de Lácteos gasta mucho dinero para convencernos de que "la leche hace tu cuerpo bueno". Te pido que lo reflexiones nuevamente.

PROTEÍNA ANIMAL

También se cuestiona el beneficio de las proteínas animales como la carne roja, la carne de cerdo, el pollo, el pavo y el pescado. El cerdo, la res, el pollo y el pavo que no fueron criados orgánicamente contienen antibióticos y hormonas. Éstas son transferidas a los consumidores y generan desequilibrios hormonales y en los fermentos.

El cerdo contiene una mayor concentración de parásitos debido a la manera en que estos animales son alimentados y porque no eliminan las toxinas eficientemente. La carne roja es más ácida para la química corporal (especialmente cuando se cocina más allá de término medio rojo), que el pollo y el pavo. Esta acidez inflama el cuerpo y empeora los síntomas de la esclerosis múltiple. Los pollos y pavos criados orgánicamente son una mejor opción.

Desafortunadamente, nuestros océanos están contaminados con metales pesados y químicos que han afectado la pesca. Los mariscos en concha están particularmente más contaminados dado que se alimentan del fondo del mar y absorben una concentración más alta de químicos y mercurio. Los peces como el salmón y el bacalao son ricos en ácidos grasos esenciales que ayudan a restituir la cubierta de mielina, por lo que su ingestión presenta ventajas. Sin embargo, es difícil encontrar fuentes limpias.

CAFEÍNA

La cafeína, ya sea en la forma de café, refrescos, té o chocolate, es ácida y eleva los niveles de azúcar en la sangre. La cafeína estimula las glándulas adrenales para liberar hormonas que ponen al cuerpo un estado de excitación de adrenalina. Lo anterior aumenta el ritmo cardíaco por lo que el azúcar almacenado se libera y el páncreas arroja insulina para equilibrar los niveles de azúcar. Si se toma de más, este ciclo agota las glándulas adrenales y el páncreas, ambos importantes para tener una óptima energía. También, el aumento del azúcar alimenta el sobre crecimiento de la cándida en el cuerpo.

Además, una acidez excesiva irrita el sistema nervioso y genera inflamación, lo que provoca dolor y destruye la capa de mielina.

ALCOHOL

El alcohol no es otra cosa que azúcar refinada que entra directamente al torrente sanguíneo y así aumenta los niveles de azúcar, alimenta a la cándida, genera una respuesta inflamatoria y degrada a las vitaminas y minerales que hay en el organismo.

Para cualquier persona con esclerosis múltiple, el consumo de alcohol es la mejor manera de acelerar la degeneración del sistema nervioso central.

ALERGIAS A LOS ALIMENTOS

Las alergias a los alimentos aparecen cuando existen desequilibrios en el intestino, como la mala digestión por comer alimentos refinados, degradados y procesados. Si tenemos grandes partículas de alimento sin digerir que irritan y atraviesan las paredes del tracto gastrointestinal, se genera una reacción alérgica en el torrente sanguíneo. Las alergias más comunes son a la leche, al maíz, a la soya, a los cítricos, al chocolate, a los huevos, a las berenjenas, a los pimientos, a las papas, a los jitomates y al trigo. Las alergias a alimentos simples y saludables, como las frutas y las nueces, pueden llegar a darse también.

La intolerancia al gluten es cada vez más frecuente y los pacientes con esclerosis múltiple deben cuidarse. El centeno, la avena, la cebada, la escanda, el trigo y el trigo kamut contienen gluten, una proteína que es abrasiva a las paredes del tracto gastrointestinal y que puede lastimar las vellosidades intestinales, que son las protuberancias de las paredes del intestino con forma de dedo que ayudan a absorber y mantener el intestino limpio de fermentos y bacterias. El problema se corrige al dejar de ingerir estos granos durante aproximadamente tres meses.

La soya resulta ser también un tema de discusión. En Estados Unidos el mercado está inundado de alimentos con proteínas de soya genéticamente modificadas, tofu procesado y proteína de soya en polvo. Sin embargo, si te detienes a estudiar la manera en que los asiáticos utilizan la soya, encontrarás que usan productos de soya fermentada como el miso y el tempeh en pequeñas cantidades. Desafortunadamente, los productos fermentados de soya no se permiten en las dietas de cándida ya que pueden agravar la situación.

Muchas personas tienen alergia a la soya y les genera gas y flatulencia. Grandes cantidades de proteína de soya pueden interrumpir las funciones tiroideas. Por lo tanto, considero que es aceptable ingerir pequeñas cantidades de soya orgánica.

SUPLEMENTOS

En el mundo actual, una dieta por sí sola no puede mantener la salud o revertir la esclerosis múltiple. Además de una dieta sana, el cuerpo requiere suplementos alimenticios. Con la mala calidad de los alimentos hoy en día, para obtener los nutrientes que necesita tu cuerpo deberías comer cinco veces al día la cantidad que comían tus abuelos en un día entero. Las prácticas agrícolas modernas han degradado nuestro suelo y nuestro cuerpo tiene que lidiar con una mayor toxicidad ambiental debido a los pesticidas, herbicidas, metales pesados y químicos sintéticos. Los niveles de estrés también han aumentado.

AGUA

Por último, y no por eso menos importante, está el tema del agua. Como dijo el eminente investigador F. Batmanghelidj: "Somos una sociedad deshidratada y la deshidratación es el factor de estrés más importante para el cuerpo humano y cualquier ser vivo".[18]

¿Cómo puedes hacer que tu cuerpo funcione correctamente si está compuesto de 80 por ciento de agua y bebes menos de ocho vasos de agua diarios? No puedes hacerlo. Como resultado, tus "tuberías" se bloquean: el sistema linfático se atasca con toxinas, los riñones se sobrecargan, el colon se constipa, el hígado y la vesícula biliar se congestionan y estableces una autotoxicidad al reabsorber las toxinas que tu cuerpo trata de eliminar. Este estado prepara el terreno para las enfermedades autoinmunes y el cáncer.

CAPÍTULO 5

•

El sistema digestivo y la inmunidad

LAS SEMILLAS DE LA ENFERMEDAD

La mayoría de las enfermedades crónicas progresivas y autoinmunes comienzan con un desequilibrio en el aparato digestivo, el cual comprende la boca y las glándulas salivales, el estómago, el páncreas, el hígado, la vesícula biliar y los intestinos grueso y delgado. Como dijo el naturópata Mark Percival en un seminario: "Los hábitos alimenticios destructivos conducen, en primer lugar, a una disfunción gastrointestinal, y subsecuentemente contribuyen a propiciar prácticamente todas las enfermedades no infecciosas conocidas (y probablemente también a algunas enfermedades infecciosas)".[19]

Se sabe que en el tracto gastrointestinal, el estómago y los intestinos, viven diez veces más células bacterianas que el total de células del resto del cuerpo. Los intestinos, grueso y delgado, tienen más de siete metros y medio de largo. Un ecosistema equilibrado en el tracto digestivo equivale a tener una relación de 85 por ciento de microorganismos saludable contra 15 por ciento que no lo sean. Las dietas inadecuadas que se basan en nutrientes degradados, químicos y conservadores, alteran esta relación y pueden provocar una mala digestión, mala absorción, disbiosis intestinal (sobre crecimiento de microbios como los hongos, los parásitos, las bacterias y los virus en el intestino), y problemas de eliminación. Lo que es más, estos problemas no son estados aislados. También afectan otros sistemas de tu cuerpo (*ver* Figura 5.1).

Figura 5.1: Anatomía del aparato digestivo

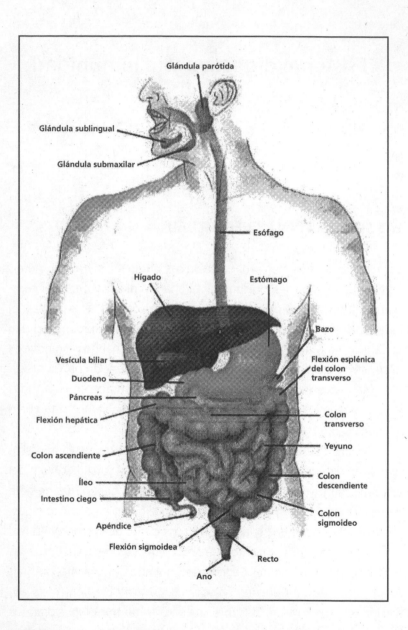

MALA DIGESTIÓN

La mala digestión se origina cuando el cuerpo es incapaz de descomponer de forma adecuada los alimentos. Esto se puede deber a una falta de ácido clorhídrico (HCL) en el estómago, un masticado deficiente, una combinación pobre de alimentos, la ingestión excesiva de líquidos al consumir alimentos, deficiencias en las enzimas pancreáticas, la hernia hiatal o el estrés.

Las dietas pobres crónicas contribuyen a una mala digestión. Cuando la comida no se digiere correctamente, las partículas y sus subproductos tóxicos se convierten en irritantes intestinales que pueden atravesar las paredes mucosas del estómago y entrar en el torrente sanguíneo (síndrome de intestino permeable). La sangre detecta estas partículas como invasores externos y crea una respuesta de anticuerpos, enviando glóbulos blancos al rescate para defender al organismo. Sin embargo, esta actividad produce inflamación, reacciones alérgicas y sensibilidad. Los síntomas de la mala digestión pueden ser eructos, distensión abdominal, flatulencia, dolor abdominal y agruras.

ENZIMAS

Las deficiencias enzimáticas son el mayor contribuyente para una mala digestión dado que al cocinar, procesar o refinar los alimentos a más de 47.8 °C se destruyen las enzimas. Las enzimas son proteínas, catalizadores que detonan reacciones químicas en el cuerpo. El cuerpo fabrica sus propias enzimas pero también utiliza las que están en los alimentos. Los alimentos crudos o ligeramente cocidos al vapor contienen enzimas, mientras que los alimentos cocidos no. Por lo tanto, cuando hay una carencia de enzimas, el páncreas, que secreta enzimas digestivas, absorbe una carga mayor. El páncreas también produce insulina, la hormona que controla el azúcar en la sangre. Las dietas que tienen una fuerte carga de carbohidratos, azúcares y alimentos cocidos y procesados hacen que el páncreas trabaje de más, debilitando su desempeño.

ABSORCIÓN DEFICIENTE

La mala absorción se da cuando se imposibilita el procesamiento de los alimentos en los intestinos. Sin la absorción adecuada, no es posible nutrir las células y éstas empiezan a degradarse. Las vellosidades intestinales (proyecciones de aspecto capilar) absorben los nutrientes, aunque una dieta pobre y con una sobrecarga tóxica en el cuerpo puede dañar o inhibir la función de las vellosidades, lo cual genera una absorción deficiente.

Las causas principales de la absorción deficiente son la mala digestión y el sobre crecimiento microbiano (bacterias, hongos, parásitos, vermiformes y virus). Los síntomas comunes de la mala absorción son la fatiga, el adelgazamiento del cabello, la piel seca, depresión, susceptibilidad al cepillado, pérdida de peso inexplicable y constipación o diarrea.

DISBIOSIS

La disbiosis intestinal es un desequilibrio de microorganismos (fermentos, bacterias, parásitos y virus) que alteran el aparato digestivo e interfieren con la absorción de los nutrientes. La disbiosis es causada por una dieta deficiente, el consumo de alcohol y drogas, el estrés, la mala digestión, problemas en la eliminación de toxinas, el abuso de antibióticos, los esteroides como la cortisona, la prednisona y las píldoras anticonceptivas, medicamentos anti-inflamatorios no esteroides (NSAIDS), las toxinas de metales pesados y los medicamentos inmunosupresores.

Cuando los microorganismos no saludables se apoderan del intestino, el sistema inmunológico se encuentra en estrés constante para defender al cuerpo de dichas infecciones. La disbiosis intestinal contribuye a la artritis reumatoide, la esclerosis múltiple, la deficiencia de la vitamina B_{12}, la fatiga crónica, el acné cístico, las etapas iniciales del cáncer de colon y de mama, el eczema, la sensibilidad y las alergias a los alimentos, el síndrome de colon irritable, la soriasis, el síndrome de Sjörgren (desorden inmunológico que se da en la postmenopausia), y a la estatorrea (exceso de grasa en las heces fecales).

La forma más común de disbiosis intestinal es el sobre crecimiento de la *Candida albicans*.

SÍNDROME DEL INTESTINO PERMEABLE

La mala digestión, la absorción deficiente y la disbiosis intestinal establecen las condiciones para un padecimiento llamado síndrome de intestino permeable. El intestino permeable es un estado en el cual las paredes mucosas de los intestinos se irritan, se inflaman y se vuelven porosas.

Esto favorece que las partículas de alimento no digeridas, los microorganismos y sus subproductos migren al torrente sanguíneo a través de las paredes intestinales. El sobre crecimiento de la cándida, los medicamentos antiinflamatorios no esteroides, las malas dietas, los metales pesados, el uso diario de la aspirina, la sensibilidad al gluten (trigo, cebada, centeno y avenas) contribuyen a irritar las paredes intestinales.

"El intestino permeable desata un estado continuo y prolongado de estrés en el sistema inmunológico."[20] Las alergias son uno de los primeros cuadros que se presentan cuando la persona tiene el intestino permeable.

Las paredes intestinales actúan como una barrera mucosa protectora y es la primera línea de defensa para prevenir las infecciones. Cuando los patógenos y los organismos externos hacen contacto con la barrera mucosa, las células inmunológicas que se encuentran dentro de los intestinos secretan inmunoglobulina A (SigA), un anticuerpo que los ataca. El estrés crónico inhibe continuamente la producción de SigA, permitiendo que los patógenos entren en la sangre y eventualmente migren al cerebro y a otros tejidos.

Con el tiempo, la presencia de bacterias, fermentos y hongos, parásitos y virus que viajan en el torrente sanguíneo, indica que el cuerpo está sitiado. Como esas toxinas son reabsorbidas por el torrente sanguíneo, entonces se sobrecargan órganos como el hígado, las glándulas linfáticas, el cerebro, los pulmones y los riñones, lo cual puede alterar el ARN y el ADN. En términos llanos, el intestino permeable genera una inflamación crónica, lo que equivale a una disfunción inmunológica crónica como la que se presenta en la esclerosis múltiple. Tu predisposición genética determinará cuáles órganos y sistemas serán afectados.

ELIMINACIÓN

La eliminación o evacuación es otro factor muy menospreciado. El tiempo óptimo de tránsito de la comida para cruzar de tu boca a tu recto es de veinticuatro horas.

La mayoría de la gente tiene tiempos de tránsito que van de las cuarenta y ocho a las setenta y dos horas. El resultado es una nación que sufre de constipación epidémica, síndrome de colon irritable y colitis. La causa principal de estos padecimientos es la ingestión inadecuada de fibra proveniente de frutas frescas, verduras y granos integrales, la mayoría de los cuales son reducidos cuando los granos son refinados.

Muchos pacientes me comentan que sus doctores les han dicho que los movimientos peristálticos diarios no son necesarios. Esto es falso. La evacuación diaria es esencial y dos o tres movimientos al día son óptimos. Si los intestinos se retrasan, el tracto gastrointestinal debe concentrarse más en deshacerse de los desperdicios que en absorber los nutrientes, lo que favorece la malnutrición y la disbiosis.

Los problemas de eliminación también pueden causar autotoxicidad. Las toxinas que no son liberadas del cuerpo son rápidamente absorbidas en el torrente sanguíneo.

La constipación puede generar alcalinidad en el intestino delgado, lo cual favorece la formación de fermentos/hongos, parásitos, bacterias y virus.

EL INTESTINO PERMEABLE Y EL HÍGADO

El hígado es un órgano sorprendente: es el más grande del cuerpo y tiene más de quinientas funciones. No puedes vivir sin él. Ayuda al metabolismo, almacena vitaminas y minerales y desintoxica los compuestos tóxicos. Las venas del hígado transportan los alimentos digeridos del intestino grueso al hígado para integrar los nutrientes en el sistema circulatorio y alimentar así todas las células del cuerpo.

Una de las tantas tareas del hígado es reconocer y neutralizar los venenos, como los metales pesados, los pesticidas, los alimentos tóxicos, el alcohol, la nicotina, los químicos sintéticos, los medicamentos y las hormonas del estrés que genera nuestro cuerpo. El intestino permeable dificulta el trabajo del hígado al forzarlo a descomponer los alimentos no digeridos, así como a lidiar con los microbios y sus subproductos que entraron al torrente sanguíneo. La combinación de estos factores interfiere con la eficiencia hepática.

La bilis, que se almacena en la vesícula biliar, libera toxinas del hígado. En un cuerpo intoxicado, la bilis puede matar a las bacterias benignas en el intestino grueso. Lo anterior establece un terreno favorable para que la cándida tome el control. Los estrógenos reducen el flujo de la bilis al hígado y elevan el nivel de colesterol biliar. El desequilibrio hormonal es común en pacientes con esclerosis múltiple.

Como N. Klotz y N. Ulrich afirman: "Cuando el intestino se hace permeable llegan más sustancias tóxicas al hígado, y si su capacidad desintoxicante es reducida, una cantidad mayor de sustancias activas se distribuyen a otros tejidos, incluyendo al cerebro, a través de la sangre".[21]

Al igual que el tracto gastrointestinal, la barrera hematoencefálica se puede hacer permeable. Esto quiere decir que las toxinas que se escapan del hígado y se almacenan en los tejidos grasos —como las células del cerebro y del sistema nervioso central— generan una inflamación y estrés oxidante. Esto es válido para un amplio rango de enfermedades no infecciosas que vemos hoy, como la esclerosis múltiple. La desintoxicación del hígado y de los intestinos es esencial para evitar los procesos inflamatorios en el resto del cuerpo.

SISTEMA INMUNOLÓGICO

Al final, lo más importante es el sistema inmunológico, que se puede definir simplemente como la capacidad de tu cuerpo de identificarse (qué es lo que naturalmente pertenece al cuerpo) de lo que no es suyo (material ajeno) y usar antígenos para destruir o neutralizar lo que sea ajeno (ver Figura 5.2).

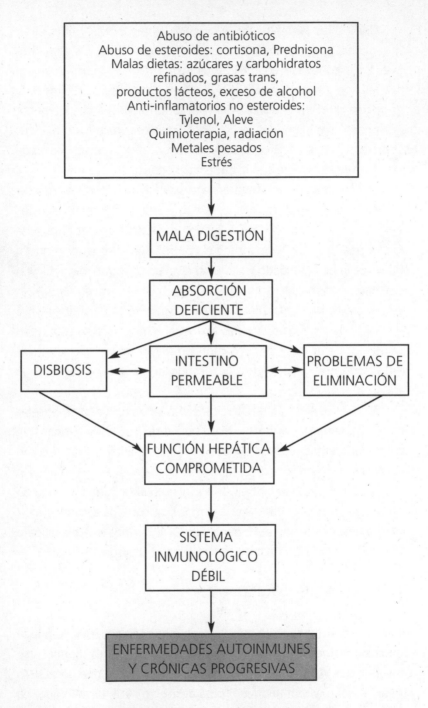

Abuso de antibióticos
Abuso de esteroides: cortisona, Prednisona
Malas dietas: azúcares y carbohidratos
refinados, grasas trans,
productos lácteos, exceso de alcohol
Anti-inflamatorios no esteroides:
Tylenol, Aleve
Quimioterapia, radiación
Metales pesados
Estrés

MALA DIGESTIÓN

ABSORCIÓN DEFICIENTE

DISBIOSIS ⟷ INTESTINO PERMEABLE ⟷ PROBLEMAS DE ELIMINACIÓN

FUNCIÓN HEPÁTICA COMPROMETIDA

SISTEMA INMUNOLÓGICO DÉBIL

ENFERMEDADES AUTOINMUNES Y CRÓNICAS PROGRESIVAS

Figura 5.2 El tracto digestivo y la inmunidad

El sistema inmunológico se compone de linfocitos (células B y T), el timo, el bazo, la médula ósea, los ganglios linfáticos, las amígdalas, las adenoides, el apéndice, los vasos linfáticos, el hígado y las placas de Peyer (aglomeraciones de tejido linfático en el intestino grueso).

Este ejército galante de órganos y células vienen al rescate cuando los invasores ajenos atacan el cuerpo. Sin embargo, el sistema inmunológico es afectado por la mala digestión crónica, la absorción deficiente, el intestino permeable, la disbiosis intestinal, los problemas de eliminación, la función disminuida del hígado, los metales pesados, los medicamentos, las hormonas del estrés y una mala dieta. Un cuerpo intoxicado da lugar a enfermedades autoinmunes en las cuales las células inmunes —como las T, las B y los macrófagos— atacan por error a sus propios tejidos.

Todos los sistemas del cuerpo están conectados

Ahora comprendes que todos los órganos de tu cuerpo están interrelacionados. Todos los sistemas se comunican entre sí. Si un órgano trabaja deficientemente, otro tomará el control e intentará compensarlo. Cuando tu intestino es permeable, afecta el torrente sanguíneo con toxinas. Un torrente sanguíneo y un sistema linfático contaminados disminuyen la potencia del sistema inmunológico; y si éste se encuentra sobrecargado permite que los agentes de inflamación crónica entren a tu cerebro. La esclerosis múltiple es una de las condiciones que impiden al sistema inmunológico lidiar con factores de tensión acumulada.

CAPÍTULO 6

•

Toxicidad ambiental

Aunque la industrialización y la tecnología han creado muchos aspectos positivos para la humanidad, tu cuerpo está pagando el precio de estar expuesto a un exceso de químicos sintéticos, metales pesados, frecuencias electromagnéticas, pesticidas y herbicidas. Los químicos se acumulan en los tejidos grasos: cabe mencionar que el cerebro se compone de 60 por ciento de grasa. Con el tiempo, esta acumulación puede convertirse en un factor patógeno en personas con esclerosis múltiple. Los diferentes padecimientos que se generan por los altos niveles de toxinas en el medio ambiente incluyen las alergias, el asma, el desorden de déficit de atención (DDA), el cáncer, las enfermedades autoinmunes, el Alzheimer y el Parkinson, por nombrar solamente algunas.

SUSTANCIAS QUÍMICAS

Los químicos —como el formaldehído, las dioxinas, los bencenos, los asbestos y el monóxido de carbono— representan una carga tremenda para el cuerpo. Un estudio cita que la Agencia de Protección Ambiental de Estados Unidos (EPA, por sus siglas en inglés) estima que "1.5 trillones de galones de contaminantes se filtran en el suelo cada año, siendo los de mayor incidencia el plomo, los nitratos (de los fertilizantes) y el radón. Se han encontrado más de 700 sustancias químicas en el agua del grifo, aunque solamente se han verificado menos de 200".[22] Otro reporte afirma que "1 216 412 kilos de desechos industriales químicos son arrojados como aguas negras. El total de emisiones arrojadas a la atmósfera fueron 5 357 752 kilos. La EPA estima un gran total de 12 595 298 kilos de contaminantes químicos arrojados en el medio ambiente en 1989".[23] Estos números son lo suficientemente altos como para enfermar a cualquiera.

CONTAMINACIÓN INTRAMUROS

Uno de los peligros más grandes para la salud, que preocupa a las organizaciones medioambientales y de salud, es la contaminación en lugares cerrados. Los avances tecnológicos nos permiten tener edificios y casas más eficientes energéticamente hablando, pero al mismo tiempo hemos generado el "síndrome del edificio enfermo", que significa que las sustancias químicas y los contaminantes quedan atrapados dentro de las construcciones. En 1998, en la revista *Scientific American* se publicó un artículo que afirmaba que los vapores químicos emitidos por una alfombra nueva equivalen a fumar tres cigarrillos diarios,[24] y algunos autores médicos han expresado su preocupación ya que "la contaminación del aire intramuros puede tener efectos profundos en la función cerebral".[25] Los vapores de los productos de limpieza, los ácaros, el polvo, los contaminantes derivados del petróleo y las células muertas de la piel también funcionan como supresores del sistema inmunológico.

ALIMENTOS GENÉTICAMENTE ALTERADOS

Además de haber sido tratados con fertilizantes y pesticidas sintéticos, los alimentos han sido genéticamente modificados. El gobierno dice que la producción de este tipo de alimentos terminará con el hambre en el mundo y generará mejores cosechas. La verdad es que las compañías químicas son las que manejan esta biotecnología y venden las semillas alteradas a los agricultores, quienes terminan usando más químicos y pesticidas. Por lo tanto, lo que motiva al uso de alimentos genéticamente modificados en nuestros mercados es el dinero y la codicia. Son estas mismas compañías de productos químicos las que también producen los medicamentos. Ya sabemos que los pesticidas y los herbicidas son tóxicos, pero los efectos totales de los alimentos genéticamente modificados todavía no se han evidenciado.

AGUA DEL GRIFO Y EMBOTELLADA

Nuestros abastecimientos de agua están contaminados con bacterias y sustancias químicas. Los contaminantes del agua incluyen agentes microbianos como las bacterias, los virus y los parásitos; contaminantes inorgánicos como sales, metales derivados de los desechos industriales y domésticos, pesticidas, herbicidas y nitratos; compuestos orgánicos de la producción industrial y el procesado del petróleo; y contaminantes radioactivos provenientes del petróleo, la minería y la producción de gas, entre otros. El cloro, utilizado para "purificar" los abastecimientos de agua debido a su acción bactericida, es igualmente tóxico. Se adiciona flúor para proteger los huesos, aunque diversas investigaciones muestran que es muy perjudicial. El agua embotellada no sigue una regulación estricta por lo que no sabemos lo que tomamos a menos de que usemos nuestros propios sistemas de filtración.

POLVO Y HONGOS

Más de 400 especies de fermentos y polvo pueden atacar nuestro cuerpo. Algunas están suspendidas, como las esporas que respiramos en el aire, y otras viven en la comida contaminada que ingerimos. Los *Criptococos*, los *Aspergilus* (que encontramos en el maíz, el trigo y el queso), los *Fusarium* (en los plátanos), las dermatofitosis, la histoplasmosis, la *Penicilium* (usado en la penicilina), la dipolodia, y los clavíceps son los más comunes.

XENOESTRÓGENOS

Los compuestos químicos, los pesticidas y los herbicidas sintéticos producen xenoestrógenos. Los ftalatos, por ejemplo, son químicos que se usan comúnmente para suavizar los plásticos e incrementar la vida de las fragancias. Estas sustancias se confunden con las hormonas y tienen propiedades similares a los estrógenos, que afectan negativamente a hombres y mujeres. La endometriosis, el cáncer de mama y uterino han sido atribuidos a los xenoestrógenos. En los hombres estos estrógenos externos se suman a la incidencia creciente de cáncer de próstata e hiperplasia prostática benigna.

Es casi imposible evitar la exposición a estos químicos ya que se encuentran en todos lados. Las dioxinas, comunes en los pesticidas y herbicidas, las encontramos ahora en el aire y el agua. El etanol del alcohol y los éteres del glicol se usan en el pegamento, la tinta, los anticongelantes, los selladores y los rellenos. El plástico que se usa en contenedores de comida, alfombras y papel tiene estireno. El tricloroetileno lo encontramos en los líquidos del lavado en seco, en las pinturas, los limpiadores y los líquidos para destapar tuberías. Los policarbonatos se usan en los plásticos, los materiales que retardan la ignición, el papel calca y los adhesivos. Y el cloruro de vinilo es utilizado en las envolturas plásticas de los alimentos y en los CD.

CAMPOS ELECTROMAGNÉTICOS

Tú estás expuesto a la radiación de campos electromagnéticos, otro elemento potencialmente peligroso para el cuerpo, proveniente de los rayos x, la luz fluorescente, los viajes aéreos, las líneas eléctricas, los aparatos eléctricos, los radares, la televisión, los teléfonos celulares, las computadoras, los hornos de microondas, las fotocopiadoras, las impresoras y otros. Estas bajas frecuencias pueden atravesar paredes, pisos e incluso al cuerpo, en el que provocan desequilibrios. La radiación destruye a las bacterias benignas en el cuerpo y genera daños por los radicales libres; ambos debilitan al sistema inmunológico.

CAPÍTULO 7

•

Estrés psicológico y espiritual

Además de todos los factores causantes de esclerosis múltiple mencionados anteriormente, resulta esencial analizar el rol de los desequilibrios psicológicos. Los pensamientos negativos y atemorizantes, así como las creencias atávicas son los mayores catalizadores que suprimen el sistema inmunológico.

¿QUÉ HAY EN LA MENTE?

La mente está formada por lo consciente, el subconsciente y lo inconsciente. No podemos hacer a un lado el hecho de que los pensamientos crean energía. Como afirma el psicólogo Shad Helmsetter: "La investigación de vanguardia sobre el comportamiento nos ha dicho que 75 por ciento de lo que pensamos es negativo, contra productivo y actúa en nuestra contra. Al mismo tiempo, la investigación médica asevera que 75 por ciento de las enfermedades son autoinducidas".[26]

¿Qué significa esto? Que cada pensamiento, consciente o inconsciente, que formulas se traduce en impulsos eléctricos que dirigen los centros de control de tu cerebro y tu sistema nervioso central. Éstos afectan eléctrica y químicamente tu organismo y controlan todos tus movimientos, células, sentimientos y actos en cada momento, todos los días. Los pensamientos que formulas cada día manifiestan tu realidad y tu cuerpo.

TUS PENSAMIENTOS ESTÁN EN CADA CÉLULA DEL CUERPO

Los pensamientos no residen solamente en el cerebro. En realidad, están en todas las células del cuerpo. Cada célula piensa y tiene su propia memoria. Tu cuerpo cambia con tus pensamientos y actos. Sin embargo, el cerebro, donde residen las emociones, el intelecto, la lógica y la creatividad, también mantiene el equilibrio en todos los sistemas de tu organismo.

En el nuevo campo disciplinario de la psiconeuroinmunología (PNI), que estudia cómo afecta el sistema nervioso al sistema inmunológico, se han encontrado evidencias científicas que indican que los pensamientos afectan la respuesta inmunológica. Se ha demostrado que la depresión suprime el sistema inmunológico; por lo tanto, la depresión crónica también conduce a padecimientos fisiológicos cuando el sistema inmunológico se encuentra suprimido durante un período largo de tiempo. Lo que es evidente es que el cuerpo y la mente no están separados. Resulta limitante categorizar una enfermedad como fisiológica o psicológica. Una enfermedad puede comenzar en el cuerpo pero eventualmente afectará la mente y viceversa. Cada sistema y órgano está interrelacionado y, con el tiempo, los pensamientos negativos generan enfermedades.

Mente consciente, subconsciente e inconsciente

La mente consciente es tu puerta al subconsciente. La mente consciente te da la libertad de discernir y ocupar los pensamientos que tú elijas. El subconsciente es el lugar desde el cual realmente actúas y el inconsciente es todo lo que es conocido y desconocido. La mente subconsciente es como un gran disco duro de computadora que almacena cada evento que hayas vivido en tu vida hasta ahora. El subconsciente no sabe cómo discernir entre el bien y el mal ni tiene sentido del humor. Es literal y es tu mejor amigo.

Es a través de la mente subconsciente que puedes entrar en contacto directo con tu ser superior, el inconsciente, que es la parte que conoce todo de ti, que siente con certeza y el cual puedes experimentar cuando tienes corazonadas o intuyes algo. Lo más importante es que el subconsciente controla al sistema nervioso central, que rige cada célula, tejido y órgano del cuerpo.

El subconsciente es como una grabadora que registra el mensaje que has programado desde que naciste, hasta que lo cambias. Por eso, aquello que piensas con mayor frecuencia, lo que dices más seguido, los sentimientos que experimentas más veces y lo que más haces, es justamente lo que eres. Por tal motivo, los patrones y miedos negativos eventualmente actúan sobre tu cuerpo.

Emociones

El examen de los pensamientos remite a las emociones y a la manera en que ambos trabajan juntos. Los pensamientos alimentan las emociones y éstas nutren a los pensamientos. Los dos son inseparables y si tienen una base negativa, generarán un círculo vicioso que afectará tu salud. Las emociones son una reacción a una situación determinada, sea pasada o presente. Surgen basadas en nuestras percepciones y en las interpretaciones que hacemos a las experiencias. Se trata de sentimientos como la alegría, el miedo, la ira, el dolor frente al abandono, el amor, la tristeza y el enojo. Amplifican nuestras experiencias cotidianas y sin ellas no seríamos humanos. Al final de cuentas, lo que sentimos con más profundidad es determinante en nuestra vida y los actos que realicemos o que decidamos no realizar.

Emociones basadas en el miedo

Los problemas surgen cuando guardamos emociones atemorizantes de experiencias pasadas. Este tipo de emociones pueden ser el dolor frente al abandono, la vergüenza, el enojo, la culpa, el miedo, los celos y el rechazo. Es importante que las emociones se sientan y luego se dejen ir.

Desafortunadamente, es común que reprimamos o guardemos emociones durante toda la vida; a dicho cúmulo se le llama "bagaje emocional". El cuerpo tiene una memoria celular y retiene información, especialmente sobre eventos basados en el miedo y que no están resueltos. Con el tiempo este tipo de sentimientos, como cuando albergamos culpa o furia, debilitará tu cuerpo.

La naturaleza del miedo

Me gustaría llamar tu atención acerca de una emoción particular: el miedo. Después del estrés, el miedo es la segunda emoción que puede quebrantar el cuerpo. El miedo es el tramposo, el delincuente, el dragón y uno de tus más grandes maestros.

¿Qué es el miedo? Es evidencia falsa que aparece como verdadera. Generalmente, el miedo está relacionado con una experiencia pasada; el miedo al futuro se expresa como ansiedad. El miedo te saca de tu espacio de poder durante un momento y te desequilibra fisiológica y psicológicamente. Puede paralizarte en la vida, generar ataques de pánico y enfermarte.

Típicamente, convertimos en realidad los miedos a la muerte, a la falta de dinero, a las relaciones, a las enfermedades, a la seguridad en el trabajo y a nuestro objetivo en la vida. Los miedos dominan la vida de muchas personas. Los líderes espirituales afirman que solamente dos emociones tienen el poder de movernos a actuar: el amor y el miedo. Yo considero que es cierto.

También existe una diferencia entre el miedo necesario para la supervivencia y el miedo que creamos en nuestra mente. Aquél necesario para la supervivencia se puede ejemplificar con la escena de alguien que corre por la calle para escapar de un automóvil que lo va a atropellar; funge como mecanismo de lucha o escape, es instintivo y protector. Por otro lado, el miedo a volar en un avión que se origina al ver noticias acerca de desastres aéreos, es un miedo que es auto generado y es destructivo.

Cuando se tiene esclerosis múltiple resulta muy fácil ser dominado por el miedo, dado que algo que se daba por hecho —el funcionamiento óptimo del organismo— ya no está y así el miedo ocupa su lugar.

Todas las enfermedades tienen su centro emocional

Considero que todas las enfermedades tienen un componente emotivo y que ciertas emociones basadas en el miedo están correlacionadas con las enfermedades más comunes de la actualidad. Por ejemplo, el cáncer tiene su equivalente en la culpa como centro emocional y la esclerosis múltiple se relaciona con la baja autoestima y furia contenida. Autores como Carolyn Myss (*Anatomía del espíritu*) y Louise Hay (*Ámate y sana tu vida*), explican detalladamente la forma en que las emociones que albergamos generan enfermedades y se relacionan con ellas. El peso de las emociones no resueltas pasará la factura al cuerpo hasta que las solucionemos.

Creencias

Las creencias son la certeza de que algo existe o es verdadero, basado en nuestras percepciones, experiencias y sentimientos. Las creencias son extremadamente poderosas ya que sientan las bases de las decisiones y actos. Afectan la forma como nos sentimos y pensamos. Y lo más importante de todo: transforman tu ADN.

Las creencias no son leyes escritas en piedra, sino herramientas. Se vuelven obsoletas y necesitan cambiarse, al igual que una llanta usada. Las creencias obsoletas nos mantienen enfermos y limitados. Desafortunadamente, adoptamos la mayoría de las creencias a una edad temprana, cuando no teníamos el poder consciente de la decisión, y las hemos arrastrado hasta la vida adulta. La Figura 7.1 te ayudará a reconocer qué tan estresado estás.

¿Qué tan estresado estás?

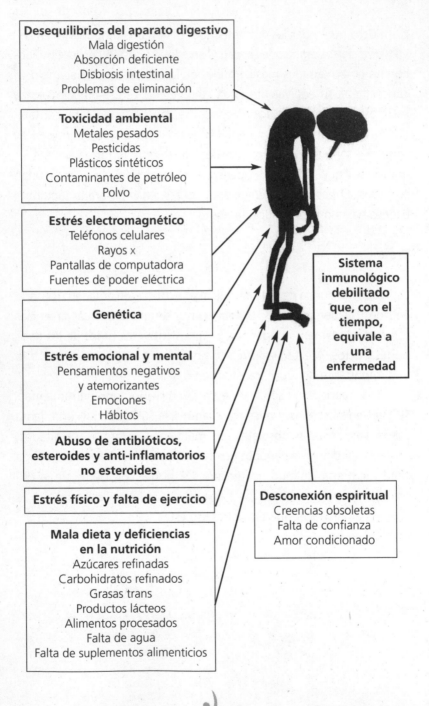

Desequilibrios del aparato digestivo
Mala digestión
Absorción deficiente
Disbiosis intestinal
Problemas de eliminación

Toxicidad ambiental
Metales pesados
Pesticidas
Plásticos sintéticos
Contaminantes de petróleo
Polvo

Estrés electromagnético
Teléfonos celulares
Rayos x
Pantallas de computadora
Fuentes de poder eléctrica

Genética

Estrés emocional y mental
Pensamientos negativos
y atemorizantes
Emociones
Hábitos

**Abuso de antibióticos,
esteroides y anti-inflamatorios
no esteroides**

Estrés físico y falta de ejercicio

**Mala dieta y deficiencias
en la nutrición**
Azúcares refinadas
Carbohidratos refinados
Grasas trans
Productos lácteos
Alimentos procesados
Falta de agua
Falta de suplementos alimenticios

**Sistema
inmunológico
debilitado
que, con el
tiempo,
equivale a
una
enfermedad**

Desconexión espiritual
Creencias obsoletas
Falta de confianza
Amor condicionado

Desde la niñez has creado una imagen fundacional de ti mismo. No importa si la imagen que creaste es verdadera o no; aceptaste lo que escuchaste y sentiste de parte de tu familia, tus amigos y la sociedad tal como definieron que eras. Ahora es el momento de que cambies esa definición.

Desconexión espiritual

La conexión espiritual es esencial para la salud. Los seres humanos somos más que nuestro cuerpo. La ciencia afirma que la energía nunca muere, sino que cambia de forma. Entonces, ¿qué eres tú? Eres una energía única llamada alma.

No hay dos almas ni dos cuerpos iguales. La espiritualidad tiene que ver con la confianza, la fe, la creencia y el sentir de que hay algo más grande que tú. De aquello que seas parte y a lo que estés vinculado determinará tu panorama y tu calidad de vida. Determinará en donde descansan tus creencias; y tu sistema de creencias determinará tus percepciones y los actos que realizarás día a día. Tus creencias son el marco de trabajo en el que operas.

No importa a qué religión, secta o práctica pertenezcas. No importa si participas en una religión organizada o no. Si eres ateo, cree en tu propio poder para transformar tu vida. No hay nada correcto o incorrecto.

Lo que importa es que sepas que estás vinculado a algo más grande. Llámalo Dios, Tao, o energía universal. Creo que somos parte de ello y asimismo eso es parte de nosotros, lo que nos hace una unidad con lo que es y existe. Se trata de la fuerza invisible y omnipresente que se expresa en fenómenos como la creación de un bebé, la comunicación entre las diferentes células del cuerpo y la curación milagrosa de enfermedades "incurables".

La desconexión espiritual desequilibra física, mental, emocional y espiritualmente. La depresión, la falta de objetivos y valores, la pérdida de esperanza y los miedos, tienen un gran impacto cuando no puedes consolarte con algo más grande. La desconexión te hace sentir solo y aislado.

Cuando tuve esclerosis múltiple, mis peores momentos fueron cuando me sentí desconectada de Dios. Me sentía sin esperanza y llena de angustia y supe que si permanecía así, moriría.

NOTAS

[3] Michael Goldberg, www.neuroimmunedr.com/index.html.

[4] Christina M. Hull y M. Ryan, "Evidence for Mating of the 'Asexual' Yeast Candida albicans in a Mammalian Host", en, *Science* vol. 289 núm. 5477, 2000, pp. 256-257.

[5] David Perlmutter, Brain Recovery.com: The Powerful Therapy for Challenging Brain Disorder, Perlmutter Health Center, Naples, EU, 2000.

[6] David Perlmutter, "Fatigue in Multiple Sclerosis", en *Townsend Letter for Doctors and Patients* (1995): 6-11.

[7] William G. Crook, *The Yeast Connection Handbook*, Professional Books, Tennessee, 1999.

[8] J. P. Nolan, "Intestinal Endotoxins as Mediators of Hepatic Injury: An Idea Whose Time Has Come Again", en *Hepatology*, vol. 10, núm. 5, 1989, pp. 887-891.

[9] C. Orian Truss, *The Missing Diagnosis*, The Missing Diagnosis, Birmingham, EU, 1985.

[10] Keith W. Sehnert, Gary Jacobson y Kip Sullivan, "Is Mercury Toxicity and Autoimmune?", en *Townsend Letter for Doctors and Patients*, agosto-septiembre de 1999, pp. 100-03.

[11] Donald H. Gilden, "Viruses and Multiple Sclerosis", en *JAMA* –Journal of the American Medical Association–, vol. 286, núm. 24, diciembre de 2001, pp. 3127-3129.

[12] Miller *et al.*, British Medical Journal, núm. 2, 1967, pp. 210-213.

[13] D. Geier y M. Geier, "Chronic Adverse Reactions Associated with Hepatitis B Vaccination", en *The Annals of Pharmacotherapy*, vol. 36, núm. 12, 2002, pp. 1970-1971.

[14] Gerald Ross, "Toxic Brain Syndrome: An Interview with Gerald Ross, M.D.", en *Mastering Food Allergies*, XI, 2, marzo-abril 1996.

[15] Ann Louise Giftleman, *How to Stay Young and Healthy in a Toxic World*, Keats Publishing, Chicago, 1999.

[16] Ray C. Wunderlich Jr. y Dwight K. Kalita, *Candida albicans: How to Fight an Exploding Epidemic of Yeast-Related Diseases*, Connecticut Keats Publishing, New Canaan, EU, 1984.

[17] Sharon Begely, "The End of Antibiotics? Antibiotics Are for Bacterial Infections and Patients Demand Them for Colds, Flues", en *Newsweek*, 28 de marzo de 1994, pp. 47-51.

[18] F. Batmanghelidj, *Your Body's Many Cries for Water*, Global Health Solutions, Falls Church, EU, 1995.

[19] M. Percival, *Functional Dietetics: The Core of Health Integration*, Health Coach Systems International Inc., Ontario, Canadá, 1995.

[20] Jeffrey S. Bland, "Leaky Gut, a Common Problem with Food Allergies" (entrevista con Jeffrey Bland, por Marjorie Hunt Jones), en *Mastering Food Allergies*, VIII (5), 5, septiembre-octubre de 1993.

[21] N. Klotz y N. Ulrich, "Natural Benzodiazepines in Man", en *The Lancet*, vol. 335, 1990, p. 992.

[22] Serammune Physicians Laboratories, *Health Studies Collegium Information Handbook*, Reston, VA, Serammune Physicians Laboratories, Reston, EU, 1992.

[23] Oficina de Sustancias Tóxicas de la EPA de Estados Unidos, estadísticas del Reporte del Inventario Nacional de Emisiones Tóxicas, 1989.

[24] W. Ott y J. Roberts, "Everyday Exposure to Toxic Pollutants", en *Scientific American*, febrero de 1998, pp. 86-91.

[25] Gerald Ross, "Toxic Brain Syndrome: An Interview with Gerald Ross, M.D.", en *Mastering Food Allergies*, XI, 2, marzo-abril de 1996.

[26] Shad Helmsetter, *What to Say When You Talk to Yourself*, Pocket Books, Nueva York, 1986.

TERCERA PARTE

Puedes curarte a ti mismo:
las soluciones

CAPÍTULO 8

•

La curación de la cándida

En Estados Unidos, la candidiasis es una epidemia silenciosa que afecta a 80 millones de mujeres, hombres y niños. En otras palabras, una de cada tres personas sufre de sobre crecimiento de la *Candida albicans*.[27] La medicina occidental continúa ignorando este padecimiento porque sus síntomas se confunden con muchos otros cuadros y porque es iatrogénica (generada por los mismos médicos). Sin embargo, la candidiasis se debe tomar seriamente ya que es la causa principal de la esclerosis múltiple.

Como lo mencioné en la primera parte, las palabras del doctor William Crook, en su libro *The Yeast Connection*, resultaron providenciales cuando yo tenía veinte años y tuve mi primera crisis de salud. Él es un experto en cándida y su libro describe la candidasis con detalle. Incluí su cuestionario en la cuarta parte de este libro para que puedas calificarte y estar más consciente de los síntomas relacionados con la candidasis.

Un buen punto de partida es el aparato digestivo. La mala digestión, la absorción deficiente, la disbiosis intestinal y el síndrome de intestino permeable son los factores principales que generan este problema. El sobre crecimiento de la *Candida albicans* altera el ambiente interno del cuerpo y debilita el sistema inmunológico. Es el factor principal de la disbiosis. Por la permeabilidad del intestino, la *Candida albicans* y sus subproductos se filtran en el torrente sanguíneo durante las veinticuatro horas del día, atacando las partes de tu sistema que son más vulnerables genéticamente. En el caso de un paciente con esclerosis múltiple, el sistema nervioso central es el que resulta atacado.

UN MÉDICO PIONERO REVELA LA CÁNDIDA Y SUS EFECTOS EN EL SISTEMA INMUNOLÓGICO

Otro médico pionero en esta enfermedad, C. Orian Truss, ha señalado la gravedad del la candidiasis y cómo nuestro sistema inmune puede paralizarse a partir de un sobre crecimiento micótico.

La existencia de la *Candida albicans* en los tejidos de forma crónica es un indicio de un sistema inmunológico paralizado, al menos parcialmente, y que no responde a sus antígenos; es un sistema inmunológico que "tolera la presencia continua en los tejidos de un "invasor externo". Virtualmente, cualquier órgano parece susceptible al efecto de los productos presentes en la sangre, una vez que el fermento los ha liberado después de haber invadido con éxito los tejidos.[28]

Otros expertos afirman que "se cree que el paso de la *Candida albicans* a través de la mucosa del tracto gastrointestinal en la sangre es un mecanismo importante que origina una candidasis sistémica".[29]

Una vez que la *Candida albicans* y sus subproductos han entrado al torrente sanguíneo, debilitan al cuerpo de tal forma que las víctimas se pueden convertir en "presa fácil de enfermedades más graves, como el síndrome de inmunodeficiencia adquirida, la esclerosis múltiple, la artritis reumatoide, la miastenia gravis, la colitis, la ileitis regional, la esquizofrenia y posiblemente la muerte por septicemia debida a la cándida".[30]

¿CÓMO IDENTIFICAR EL SOBRE CRECIMIENTO DE LA CÁNDIDA?

La mejor manera de saber si tienes sobre crecimiento de la *Candida albicans* es consultar a un médico que atienda este problema. Al resolver el cuestionario del doctor Crook puedes empezar a ver cómo algunos de tus síntomas de esclerosis múltiple se relacionan con la candidiasis. En mi consultorio examino las respuestas de los pacientes al cuestionario, elaboro una historia clínica detallada y uso algunas técnicas no invasivas de análisis para identificar los desequilibrios en su cuerpo. Si se desea, se puede practicar un análisis de sangre y/o fecal para detectar el sobre crecimiento de la *Candida albicans*.

Sin embargo, a lo largo de mis años de experiencia me he dado cuenta de que los fermentos y los hongos son muy evasivos. Les gusta esconderse en los órganos y tejidos, y por ello los análisis de sangre y fecales aportan resultados inconsistentes. Cuando los resultados son negativos no significa que no trataré el padecimiento relacionado a la esclerosis múltiple, dado que me apoyo mucho en mi diagnóstico e historias clínicas.

EL MITO DEL ANÁLISIS DE LABORATORIO

Los análisis de laboratorio, debido a diversos factores, no siempre son certeros. Por ejemplo, tu nivel de sensibilidad puede diferir de la estándar. De igual manera, la sangre puede ser el último sistema que muestre desequilibrios. El cuerpo tiene diferentes niveles de pH (nivel de acidez). Cuando se trata de sobrevivir, cuidar el pH de la sangre es la prioridad. La sangre necesita un pH de 7.35. Si presenta una variación, aunque sea de 0.1 por ciento, los síntomas aparecen; y si la variación es de pH 0.5, puede generar una enfermedad grave o incluso la muerte. Dado que el resto del cuerpo compensará el pH para mantener nivelada la sangre, otros tejidos y órganos pueden estar muy enfermos sin que lo detecte un médico. Más allá de esto, hay una carencia de inversión en tiempo, dinero e investigación para desarrollar mejores análisis funcionales de diagnóstico de la candidasis y otros desequilibrios intestinales, debido a la discriminación de la medicina occidental.

Millones de personas enfermas circulan con resultados negativos en análisis de sangre, orina, fecales y otros sin que sean tratados, ya que sus padecimientos son "subclínicos"; es decir, sin que hayan sido detectados por medio de análisis médicos estándar. A muchos de mis pacientes les han dicho sus doctores que "no tienen nada" o que "se lo están imaginando", como resultado de una serie de análisis con resultados negativos. Los análisis de sangre, orina y heces fecales son solamente algunas de las herramientas para diagnosticar un padecimiento. Si estás en este predicamento, continúa investigando para que encuentres al profesional de la salud adecuado, alguien que vaya más allá de los análisis de laboratorio para elaborar un diagnóstico. La ciencia, como cualquier otro campo, tiene una curva de aprendizaje y continúa mejorando su tecnología para tener mejores diagnósticos. Mientras no te des por vencido habrá respuestas.

TRATAMIENTO

El objetivo de tratar la candidiasis es matar el exceso de fermentos y hongos en el cuerpo para recuperar el equilibrio. Nunca te desharás de los fermentos; solamente tienes que volver a equilibrarlos. Para lograrlo se requiere una estrategia de dos vías: en primer lugar, se necesita un suplemento fungicida para eliminar el sobre crecimiento del fermento y los hongos; en segundo lugar, necesitas modificar tu dieta para que el exceso de fermento muera de hambre. El tratamiento es simple pero requiere decisión, disciplina y consistencia.

ANTIMICÓTICOS: NISTATINA, DIFLUCAN Y LOS ANTIMICÓTICOS HERBALES

Los suplementos antimicóticos son cruciales. Pueden ser herbales o farmacéuticos. Los antimicóticos farmacéuticos son la Nistatina, el Diflucan (fluconazol), el Nizoral (ketoconazol), Sporonex (Itraconazol) y el Lamisil (terbinafina). Muchos de ellos son agresivos al hígado por lo que mi recomendación es la Nistatina y el Diflucan. Los antimicóticos herbales son más seguros y recomiendo el Candida Cleanse, Primal Defense o el *pau d'arco* (lapacho).

Puede ser difícil lograr que tu doctor te recete un antimicótico farmacéutico, especialmente si no está dispuesto a reconocer la relación entre el fermento y la esclerosis múltiple. No te preocupes, los antimicóticos herbales son igual de efectivos y son fáciles de conseguir.

NISTATINA

La Nistatina es un extracto concentrado de un organismo que habita en la tierra y mata directamente el fermento. Se recomienda una cápsula (500 000 unidades) tres veces al día para un adulto. Si es en forma de polvo (Nilstat), toma un octavo de cucharita tres veces al día de forma oral, ya sea directamente en la lengua o disuelto en un poco de agua.

La diferencia entre el polvo y las cápsulas es que el primero no contiene ningún colorante y es más eficiente matando los hongos que viven en la boca y en el esófago, al igual que en el tracto gastrointestinal. No tomes Nistatina líquida ya que contiene azúcar, lo cual alimenta al fermento.

Tal como lo dicen los autores de *The Yeast Sindrome*, "la Nistatina es prácticamente inocua y no desarrolla sensibilidad. Los individuos de todas las edades, incluyendo bebés débiles, aceptan el medicamento sin que se hayan encontrado efectos colaterales mayores, incluso durante una administración prolongada. La mayoría de los pacientes con esclerosis múltiple muestran un importante progreso al tomar el medicamento durante uno o dos años".[31]

La Nistatina no se absorbe mayormente en la sangre, pero con el uso prolongado se incorpora al torrente sanguíneo y así ayuda a quienes tienen padecimientos autoinmunes. El problema es que la mayoría de los médicos recetan Nistatina por menos de seis semanas. Los resultados son mejores si el uso es mayor a seis meses. En mi caso tomé Nistatina durante tres años.

DIFLUCAN

El Diflucan (fluconazol) es un antimicótico sintético que es efectivo contra la cándida. Esto se aplica si tienes esclerosis múltiple. Es diez veces más fuerte que la Nistatina pero es más tóxico para el hígado. Si usas Diflucan u otro antimicótico sistémico (Nizoral, Sporonex, Lamisil) durante más de un par de semanas pide a tu médico que analice y vigile tus enzimas hepáticas. Si tienes síntomas de depresión y ansiedad, el Diflucan puede darte un empujón al eliminar el hongo. Lo recomiendo tomar en un total de cuatro cápsulas, una un día sí y el otro no, y después cambiar a la Nistatina, que es más segura. A diferencia del Diflucan, la Nistatina permea las áreas del tracto gastrointestinal donde crece el fermento; para curar la candidiasis es esencial atacar la sangre y el intestino.

Nota: si estás en silla de ruedas o en cama, la Nistatina o el Diflucan pueden resultar muy fuertes inicialmente. Dado que la circulación se ve afectada y las toxinas no salen del cuerpo eficientemente, los antimicóticos herbales son más seguros.

ANTIMICÓTICOS HERBALES

Los antimicóticos herbales son fáciles de conseguir y son más seguros. Recomiendo los siguientes:

- Candida Cleanse (de Rainbow Light)
- *pau d'arco* (lapacho)
- Primal Defense (de Garden of Life)

Los tres (en tinte líquido, pastillas o tres tazas diarias de té) son productos efectivos. Todas estas fórmulas tienen propiedades antimicóticas que detienen el sobre crecimiento del fermento y contienen hierbas desparasitantes, antibacterianas y antivirales.

Comienza con una tableta, un gotero o una taza de té, e incrementa la dosis lentamente cada dos días hasta que llegues a la recomendada.

Si no puedes encontrar estos productos entonces busca en alguna tienda naturista aquellos que eliminen los fermentos y que contengan una mezcla de los siguientes ingredientes:

- *pau d'arco* (lapacho)
- raíz de mahonia
- ajo
- sulfato de berberina

- ácido undecilénico
- ácido caprílico
- nogal negro
- extracto de semillas cítricas
- aceite de orégano
- jengibre
- raíz de genciana
- acalia
- hinojo

REACCIÓN DE LIMPIEZA

Debes saber que comenzar un programa de eliminación de alimentos y tomar antimicóticos puede generar una reacción Herxheimer (también conocida como reacción de Jarisch-Herxheimer) en la cual experimentas los síntomas de la muerte del fermento. Este proceso de desintoxicación puede hacerte sentir peor que antes y puedes mostrar síntomas como catarro, dolor corporal y de cabeza, distensión abdominal o agravamiento de los síntomas de la esclerosis múltiple. Para ayudarte con este proceso, asegúrate de que todas tus vías de eliminación —el hígado, la vejiga, los riñones, los pulmones y la piel—, estén siendo atendidas.

Bebe poco a poco hasta un cuarto de galón (alrededor de cuatro tazas) de té de trébol rojo (frío o caliente) todos los días, para ayudarte a limpiar la sangre, el hígado y los riñones. Para preparar el té, pon un litro de agua filtrada a hervir. Apaga el fuego y agrega de cuatro a seis cucharadas de la hierba a granel (en un filtro de té o en una cafetera de prensa francesa) y déjala reposar por quince minutos. Puedes agregar hielo si lo deseas. La cantidad que prepares debe de ser consumida el mismo día para que no surja moho. En un inicio, el té de trébol rojo puede provocar insomnio. Aunque no contiene cafeína, estimula el movimiento de salida de los desechos del cuerpo. Si sientes que te afecta beberlo por la noche, bebe la última taza a las seis de la tarde.

Si los síntomas de reacción a la muerte del fermento son muy intensos, disminuye la dosis del antimicótico y del té de trébol rojo.

Auméntalos nuevamente, despacio, conforme te sientas mejor. Mantente en el programa de desintoxicación y trabaja con tu terapeuta. Estos síntomas normalmente significan que estás en el camino correcto, dado que las toxinas están saliendo del torrente sanguíneo. Los síntomas iniciales normalmente desaparecen en un par de días o en una semana. Toma la mayor cantidad de agua posible además del té de trébol rojo.

Un movimiento peristáltico al día es esencial. Si necesitas fibra adicional, toma alguna que tenga pectina cítrica, linaza o salvado de arroz. Evita productos que contengan psyllium (a menos que tengas diarrea) porque pueden provocarte más gases y distensión abdominal. Gentle Fibers (de Jarrow) es un producto recomendable. La dosis inicial es una cucharada en 295 mililitros de agua. De ser necesario, después de la primera semana aumenta la dosis a dos cucharadas. Las tabletas de pectina de toronja (de Carlson) y Fiber Smart (de Renew Life) son fuentes adicionales de fibra.

Recomiendo que incluso las personas que evacuan diariamente tomen fibra adicional como la linaza, ya que no solamente facilita la evacuación sino que elimina las toxinas como las mucosas, los fermentos y algunos subproductos que se acumulan en las paredes del colon. La fibra puede ser usada indefinidamente.

Si la fibra no te está funcionando y tienes una fuerte constipación, utiliza Citrato de Magnesio (de Metagenics), Naturlax 2 o 3, o Aloelax (de Nature's Way). Puedes usar estos productos durante seis meses. Comienza tomando una tableta después de cenar y evacuarás a la mañana siguiente. Si todavía tienes constipación aumenta la dosis a dos tabletas después de cenar. Si es necesario, continúa aumentando la dosis agregando una tableta después del desayuno hasta que evacues diariamente. El objetivo es tener movimientos completos normales, sin diarrea, por lo que debes ajustar la dosis adecuada para ti. Una vez que los movimientos son más fáciles, cambia a una fórmula prebiótica como Ultra Flora Plus DF (de Metagenics) o Pb8 (de Nutrition Now) y/o fibra de mantenimiento a largo plazo.

Dado que 75 por ciento de las toxinas que eliminas abandonarán tu cuerpo a través de los pulmones, realiza ejercicios de respiración varias veces al día. Concéntrate en tu estómago, expandiendo al exhalar y contrayendo al inhalar, contando hasta siete; después aguanta la respiración contando hasta siete y exhala lentamente contando hasta siete. Realiza lo anterior durante dos minutos, cuatro veces al día.

Es de suma importancia eliminar las toxinas por medio del sudor. Un baño sauna infrarrojo es el único tipo de calor que soporta tu cuerpo. Evita el baño sauna regular o el baño de vapor ya que calientan el corazón y aumentarán los síntomas.

Finalmente, realiza todo el ejercicio que puedas ya que estimularás el sistema linfático para desintoxicarte. Las caminatas, la natación, los ejercicios isométricos, el qigong y el yoga son suficientes.

LA DIETA PARA COMBATIR LA CÁNDIDA

La dieta es tu segunda línea de ataque contra los fermentos y el sobre crecimiento de los hongos. Necesitas eliminar los azúcares, los productos lácteos y los carbohidratos refinados mientras tomas un antimicótico. Además, elimina los productos fermentados y el trigo de uno a tres meses. Aunque no alimentan directamente al fermento, pueden crear una alergia o una respuesta de sensibilidad y es mejor eliminarlos al principio del programa de tratamiento.

Si tienes un caso ligero de sobre crecimiento de *Candida albicans* te sentirás mejor entre la sexta semana y el tercer mes. Los padecimientos autoinmunes requieren de seis meses a dos años de antimicóticos y una dieta rigurosa para obtener el máximo de los beneficios. Matar de hambre al exceso de fermento requiere la administración del antimicótico y una dieta estricta por un período largo de tiempo. Tratar de hacer una cosa sin la otra no dará resultados positivos.

Estudia las tablas de "Alimentos que debes comer" y de "Alimentos que debes evitar" en la cuarta parte de este libro. Nota que son solamente lineamientos generales y que la química corporal de cada individuo tendrá una sensibilidad particular. Escucha a tu cuerpo: te dirá lo que quiere y también lo que no conforme comiences a limpiarlo. Tu organismo puede reaccionar negativamente a ciertos alimentos que están en la lista de los aceptables. Confía en él y presta atención a sus mensajes.

CÓMO LIDIAR CON EL NEURÓLOGO

La mejor manera de lidiar con tu médico es informándote. Si él no está de acuerdo con tus decisiones, está bien. No te dejes intimidar.

El conocimiento de los médicos se basa en lo que se les enseñó, que no es otra cosa sino farmacología. Pero se trata de tu cuerpo y tú mandas, por lo que debes tomar las mejores decisiones para ti. Actúa de forma que te sientas en paz porque las decisiones basadas en el miedo pueden ganar y generar o prolongar tus síntomas.

Quizá descubras que prefieres trabajar exclusivamente con la medicina occidental o con la alternativa, o bien que respondes mejor a una combinación de ambas. No hay una solución única que funcione para todos. Cada cuerpo es diferente y necesitas escuchar al tuyo.

Si te recetaron un antibiótico y lo tomas, pide un antimicótico como la Nistatina para tomarlo simultáneamente. Toma una tableta tres veces al día mientras tomas el antibiótico y durante las dos semanas siguientes después del tratamiento. Los médicos no ofrecen antimicóticos sin que se los pidan, pero necesitan estar dispuestos a hacerlo si se los pides. Si no puedes conseguir Nistatina, toma uno de los antimicóticos herbales que mencioné anteriormente.

El sobre crecimiento de la *Candida albicans* es real y está en la raíz de la esclerosis múltiple. Es común que, como mencioné anteriormente, uno de cada tres estadounidenses tenga este padecimiento de alguna manera, de ligero a grave. Las mujeres están más predispuestas que los hombres debido a su anatomía y las variaciones hormonales, pero eso no significa que los hombres no sean vulnerables a la enfermedad. De igual forma, la candidiasis puede ser transmitida por contacto sexual.

NO PIERDAS LA ESPERANZA

Para curar el sobre crecimiento de la *Candida albicans* se requiere paciencia y disciplina. Te puede deprimir la falta de opciones de alimentación en tiendas y restaurantes, pero si compras en tiendas naturistas podrás encontrar muchas alternativas. No importa dónde compres;

asegúrate de leer las etiquetas cuidadosamente. Es mejor cambiar tu estilo de vida para deshacerte de la cándida que simplemente privarte temporalmente de ciertas cosas. Una vez que te sientas mejor entenderás cómo afecta la alimentación al cuerpo y a la mente e, idealmente, no querrás regresar a las malas elecciones alimenticias.

Persevera y los resultados aparecerán. Notarás las mejoras en tu salud en las primeras dos a cuatro semanas y experimentarás cambios mayores después de seis meses. La vigilancia estricta de tu dieta es esencial porque si continúas ingiriendo azúcar diariamente, aun en pequeñas cantidades, la *Candida albicans* seguirá alimentándose y tu avance se verá retrasado. Sin embargo, si comiste algo que no está en tu dieta, no te derrumbes. Simplemente regresa al régimen y sigue adelante.

VUELVE A INOCULAR TU INTESTINO

Cuando restituyes tu salud, debes mantenerla. Durante y después del programa de tratamiento de la cándida, toma productos prebióticos (bacterias benignas) que contienen cepas de *acidophilus* y *bífidum*, sin lácteos, para mantener balanceado tu ecosistema. Sigue las instrucciones del empaque. Los prebióticos restituyen las bacterias benignas que mantienen al fermento en equilibrio. Ultra Flora Plus DF (de Metagenics), Mega Flora (de MegaFood) o PB8 (de Nutrition Now) son buenos productos. El PB8 no requiere refrigeración, a diferencia de la mayoría de los prebióticos que pierden su efectividad si no están refrigerados.

CUANDO ESTÉS SANO

Curar la candidiasis es el primer paso para revertir la esclerosis múltiple. Puede regresar de forma más virulenta si vuelves a tus viejos hábitos alimenticios. Si tienes esclerosis múltiple es importante que tomes al menos una dosis reducida de antimicóticos herbales todos los días por el resto de tu vida, y necesitas aumentar la dosis durante períodos de estrés como las vacaciones o cuando viajas. Puedes tomar Candida

Cleanse, *pau d'arco* o Primal Defense en una dosis de mantenimiento de una tableta, un gotero o una taza de té, dos veces al día de por vida. Rota el uso de estos productos para obtener sus beneficios al máximo.

Incluso después de haber llegado al final de tu tratamiento, necesitas ser moderado en tu dieta. Evita sobrepasarte con alimentos que contienen azúcar, lácteos, fermentos y carbohidratos refinados. Una buena forma de medirte es comiendo saludablemente de lunes a viernes y dándote un poco de gusto los fines de semana. Pero si notas intolerancia y algunas reacciones después de comer estos alimentos —aumento de las pulsaciones de 90 a 180 por minuto, fatiga, comezón interna o externa, erupciones, gases, distensión abdominal u otros síntomas—, será mejor que los elimines de tu dieta. De lo contrario, puedes detonar otro episodio negativo.

SIN EFECTOS COLATERALES

Las buenas noticias son que la eliminación de la *Candida albicans* no te puede dañar. Consiste en solamente dos elementos: la limpieza de tu dieta y la ingesta de un antimicótico suplementario. Éste es un protocolo que podría beneficiar casi a todos, especialmente a quienes tienen enfermedades autoinmunes. Para informarte sobre estos padecimientos y cómo cocinar y alimentarte adecuadamente, existen diversas referencias disponibles.

No tienes nada que perder al tratar la candidiasis como una posible causa de la esclerosis múltiple y puedes vigilarla tú mismo para asegurarte de que el proceso de desintoxicación sea manejable. Ciertamente, limpiar tu dieta al eliminar el azúcar y los alimentos refinados y procesados, aliviará significativamente tus síntomas.

CAPÍTULO 9

•

Desintoxicación interna
y medicamentos

LA INTELIGENCIA DEL CUERPO

El cuerpo es un sistema sorprendente que trabaja constantemente para mantenerte en homeostasis, en equilibrio. De manera milagrosa orquesta la comunicación de más de trescientos millones de células. El organismo remplaza todas sus células cada dos años y, en un ambiente sano, puede regenerarse en once meses. Dependiendo qué tan bien te cuides, tienes piel nueva cada siete días, un tracto digestivo nuevo cada tres días y un nuevo hígado cada cuatro a siete semanas. Dada esta inteligencia inherente, mi tarea es ayudar a mis pacientes a tomar decisiones que aceleren sus mecanismos curativos y sugerir la manera en que pueden fortalecer su sistema inmunológico para sobreponerse a la enfermedad. La curación natural implica utilizar terapia nutricional, hidratación, remoción de las toxinas y el fortalecimiento de la resistencia interna.

Es esencial para la salud mantener fuerte al sistema inmunológico. Los cuatro componentes que mantienen sano al sistema inmunológico son la buena nutrición, el ejercicio, la respiración y la meditación. Los alimentos ricos en nutrientes y los suplementos son necesarios para nutrir y reparar las células, los tejidos y los órganos. El ejercicio libera el estrés, desintoxica al cuerpo y lo mantiene fuerte y ágil. Respirar es la función más importante para lograr la eliminación de toxinas ya que 75 por ciento de éstas se eliminan por medio de los pulmones, contra

25 por ciento que es eliminado a través de la orina, el excremento y la transpiración. Además, la respiración consciente es esencial. La meditación es una práctica que desacelera la mente y te sitúa en el presente.

Para que surjan las enfermedades auto inmunes, se necesita un ambiente interno contaminado. Con el fin de sanar se requiere remover los desechos acumulados, el daño de los radicales libres, los agentes inflamatorios y los antígenos. Es crucial incorporar métodos de desintoxicación que limpien el aparato gastrointestinal, el hígado y la vesícula biliar, tonificar los riñones y purificar la sangre y el sistema linfático. También se deben reparar los órganos y los tejidos dañados por medio de la inoculación de nutrientes en el cuerpo. La dieta por sí sola no puede restablecer al organismo. Reparar el sistema nervioso y reconstruir la capa de mielina requiere un régimen integrado de suplementos, incluyendo vitaminas, minerales y hierbas.

EL TIEMPO ES FUNDAMENTAL

Lo más importante a tener en mente en tu proceso curativo es que debes ser paciente y saber que la reparación tomará tiempo. El sistema nervioso central es uno de los que toman más tiempo en repararse, por lo que resulta esencial que fijes un periodo realista para tu programa curativo. Un paciente ambulatorio con esclerosis múltiple se curará más rápidamente que alguien en silla de ruedas cuya circulación se ve más afectada. También se debe considerar que las personas con esclerosis múltiple no experimentan la misma constelación de factores que los demás. Esto explica las diferencias de velocidad con que los síntomas aparecen y por qué una terapia o suplemento funciona para una persona y no para otra. Es importante individualizar el tratamiento basado en tu química corporal y trabajar de la mano con tu médico.

DESINTOXICACIÓN

La desintoxicación comienza con el proceso desinflamatorio y la remoción de toxinas. Cuando tienes esclerosis múltiple, el estado del cuerpo es delicado y es importante tomarlo con calma. La muerte de

los hongos puede ser intensa para ti en las primeras semanas, con síntomas como fatiga, dolor de cabeza, dolores parecidos a la gripa o al
catarro y un empeoramiento de los síntomas de la esclerosis múltiple,
por lo que es recomendable trabajar con un profesional de la salud
que sepa como lidiar con este proceso. Los síntomas de la muerte
de los hongos se dan porque tus vías de eliminación (colon, hígado,
riñones, pulmones y piel) están atascadas, por lo que necesitas disminuir la dosis y desacelerar el ritmo de la fórmula antimicótico y del
té de trébol rojo. Esto es porque las toxinas no pueden abandonar
el organismo tan rápido como quisieras. No se necesita apresurar la
desintoxicación. Hazlo a un paso que permita eliminar fácilmente las
toxinas, en lugar de rebotar de un tejido o de un órgano a otro.

MEJORAR LA DIGESTIÓN

La buena digestión es el primer elemento para asegurarte de que tu
cuerpo está funcionando bien. Ingiere alimentos crudos, orgánicos y
sin procesar. Mastica concienzudamente la comida y evita comer en
momentos de mucho estrés. Si tu digestión está fuertemente desequilibrada, al principio necesitarás cocer las verduras al vapor.

Además, toma enzimas digestivas para asegurar que la digestión
sea óptima y que las partículas de alimentos no digeridos no conti-
núen intoxicando tu cuerpo. Las enzimas te ayudan con la descom-
posición adecuada de los alimentos y eliminan los síntomas de la indigestión como agruras, gas y distensión abdominal. Compra enzimas
digestivas con base vegetal como Digest Gold (de Enzymedica) que
descompondrá las grasas, la proteína y los carbohidratos. Para problemas digestivos más graves puedes adquirir una enzima digestiva con
pancreatina como el Azeo Pangeon (de Metagenics) o Metagest (de
Metagenics) con HCL y pepsina.

LIMPIAR EL COLON

El segundo paso importante es asegurarte de que tus intestinos se
mueven diariamente. Las paredes de tu colon han sido afectadas por

años de estrés, dietas deficientes y contaminantes internos y externos. Es importante deshacerte de tal acumulación. Un movimiento peristáltico diario es obligatorio; dos o tres son ideales.

La clave para mantener los intestinos en movimiento diariamente es beber suficiente agua. Necesitas beber la mitad de tu peso en litros de agua diarios. Igualmente, asegúrate de tomarte el tiempo adecuado para ir al baño cuando lo necesites. El ejercicio regular también ayuda a tener intestinos saludables.

Es esencial que tengas un movimiento intestinal diario porque de otra manera los síntomas de la muerte de los hongos por el antimicótico pueden intensificarse.

El Narturlax 2, 3, Aloelax (de Nature's Way) o el Citrato de Magnesio (de Metagenics) son buenas fórmulas que puedes usar para regularizarte durante los primeros meses.

Comienza tomando una tableta después de la cena y aumenta la dosis diaria de tableta en tableta hasta que tengas movimientos diarios. Asegúrate de no tomar demasiadas para no provocar diarrea. Toma sólo lo suficiente para producir heces firmes todos los días.

La clorofila líquida (con sabor a menta) es otra herramienta para mover tus intestinos y llevar oxígeno a tu cuerpo. Tómala como se indica en el envase. El jugo de aloe vera (Lily of the Desert, 8 cucharadas en la mañana y 8 en la noche) puede aliviar el recubrimiento del tracto gastrointestinal y mantener tus intestinos moviéndose diariamente. La triphala (de Planetary Herbals o Himalaya) es otro limpiador y regulador intestinal. Las fórmulas que ayudan a la consistencia intestinal (como la fibra, el aloe vera y la triphala) se pueden usar a largo plazo, pero no así los estimulantes como el Naturlax 2.3.

De igual forma, la fibra es benéfica para mantener la evacuación óptima y barrer los recubrimientos del colon. Gentle Fibers (de Jarrow) o Fiber Smart (de Rerew Life) son buenas fuentes de fibra disponibles en tiendas naturistas. El psylium es otra fuente de fibra que funciona bien para algunas personas. Sin embargo, dado que el psylium se expande a cuarenta veces su volumen, puede causar distensión abdominal y gases. Normalmente recomiendo el psylium en casos de diarrea, pero no en problemas de estreñimiento.

Los casos de estreñimiento insistente y de largo plazo se pueden atender con tratamientos de irrigación del colon. Normalmente una serie de tres es suficiente para acelerar el proceso de desintoxicación. Éstos pueden restaurar la motilidad intestinal por lo que propician movimientos diarios. Los lavados de colon no son recomendables si tienes úlcera, enfermedad de Crohn, colitis ulcerosa o direticulitis.

LIMPIAR LA VESÍCULA BILIAR Y EL HÍGADO

El tercer paso importante es profundizar para asegurarnos de que la desintoxicación se filtra adecuadamente. Las hierbas para limpieza terapéutica ayudarán a que tu hígado sobrecargado se recupere y neutralice de manera eficiente los venenos internos y externos. Asimismo, estas hierbas aseguran que las toxinas liberadas no se recirculen. En el primer y segundo mes de tu programa toma un suplemento para el hígado y la vesícula biliar, como el Metacrin DX (de Apex) o un producto que contenga leche de semilla de cardo, diente de león, N-acetil-cisteína, minerales, cúrcuma y/o complejo B, alcachofa, laurel, raíz de verdolaga, jengibre, colina, taurina o raíz de diente de león.

TONIFICAR LOS RIÑONES Y EL TORRENTE SANGUÍNEO

El cuarto paso es asegurarte de que la sangre se ha limpiado y se han eliminado las toxinas como los metales pesados, las micotoxinas de los fermentos y los hongos, etcétera. Muchos pacientes con esclerosis múltiple sufren incontinencia o urgencia urinaria. Bebe dos o cuatro tazas de té de trébol rojo diariamente para ayudar a limpiar tu sangre, riñones y vejiga. Al principio puede parecer que estás yendo más veces al baño pero eventualmente verás los beneficios. Si la urgencia sigue siendo un problema, intenta Bladder-Control (de The Natural Bladder).

Para infecciones recurrentes del tracto urinario puedes probar Kidney Formula (de Nature's Way) o un producto con arándanos, uva ursi, acalia y el olmo Ulmus rubra. Otro remedio es la D-manosa, un azúcar natural simple que elimina la *E. coli*, bacteria que ataca las paredes de la vejiga. La D-manosa cubre la *E. coli* de forma que no se puede adherir a los tejidos. No altera los niveles de azúcar en la sangre ni alimenta a la cándida. Una fórmula que ayuda a tonificar y fortalecer los riñones y la vejiga es Uro-Kid (de Doctor's Research).

ESTIMULAR TU SISTEMA LINFÁTICO

Por último, pero no por eso menos importante, es esencial mantener el sistema linfático en movimiento óptimo. La tarea del sistema linfático es eliminar los desechos del cuerpo. Lo hace por medio de la gravedad, desde sus vasos hasta el área del corazón en el ducto torácico, donde arroja el desperdicio en el torrente sanguíneo.

La mejor manera de limpiar tu sistema linfático es haciendo ejercicio regularmente, realizando ejercicios diarios de respiración profunda y con un masaje al mes.

También funciona que cepilles en seco tu piel durante cinco minutos cada mañana antes de bañarte. Compra un cepillo de fibra vegetal en una tienda naturista y cepíllate con movimientos cortos, desde la parte más baja de tus pies hasta el corazón. Los fluidos linfáticos están justo debajo de la piel, por lo que no necesitas cepillar demasiado fuerte. Cepilla suavemente tu espalda y tu pecho de los hombros hasta el centro. Cepilla tu cuello, tu corazón, alrededor y en el centro de tu pecho. Sentirás un cosquilleo y que se incrementa la circulación. Cepillar la piel ayudará a que nazcan más células. Después del baño, con los pies todavía húmedos, date un masaje con aceite de coco, almendras o jojoba.

MEJORAR LA CIRCULACIÓN

La circulación óptima es esencial para liberar a tu sistema nervioso central de los desperdicios y desplazar los nutrientes hacia los órganos y tejidos para que se regeneren. Como lo mencioné anteriormente, el cepillado de la piel es esencial. De igual forma el jengibre, el gingko biloba, la niacina y el fruto del espino ayudan a mejorar tu circulación. El Antioxidant Supreme (de Gaia Herbs) y el Gingko Rose (de Metagenics) son buenas fórmulas para ello.

TERAPIA DE OXÍGENO

Una de las formas más efectivas para mejorar tu circulación es la oxigenación. El oxígeno también genera un ambiente hostil para los microbios patógenos y fomenta la regeneración de tus células nerviosas. El tratamiento de oxígeno hiperbárico alivia la deficiencia de oxígeno, mejora la circulación, neutraliza las toxinas, renueva las neuronas dormidas o latentes, estimula las células neurales madre, estimula el crecimiento de nuevos vasos sanguíneos en tejidos dañados y reduce la inflamación cerebral.

Si no tienes acceso a una cámara hiperbárica o no puedes pagar por ella, el siguiente mejor remedio es el oxígeno líquido. Oxygen Elements Plus (de Global Health Trax) es mi fórmula favorita. Este suplemento se convierte en oxígeno cuando se mezcla con agua, y después se bebe. El oxígeno cruza las membranas celulares inmediatamente para descargar el desperdicio y llevar oxígeno a las células.

Dado que los desperdicios saldrán de tu cuerpo, necesitas comenzar lentamente y tomar tres gotas diarias durante dos o tres días. Si eres un paciente ambulatorio, gradualmente aumenta la dosis a diez gotas, de tres a cinco veces al día. Las dosis terapéuticas para los pacientes con esclerosis múltiple que están en cama pueden ser de hasta diez gotas, diez veces al día. A niveles mayores de cinco veces al día, adiciona calcio o magnesio quilatado, o bien Hydrilla (de MegaFood), para complementar tu dieta.

LIMPIEZA IÓNICA

La velocidad con que el cuerpo elimina las toxinas puede ser lenta. Para ayudar al proceso, las sesiones de limpieza iónica son fantásticas. Consiste en poner tus pies en una tina pequeña de agua tibia con el ionizador entre tus pies y cerca de tus tobillos. El ionizador genera iones positivos y negativos que arroja las toxinas del cuerpo a un paso acelerado. Se recomiendan doce o quince sesiones, cada una con duración de treinta minutos. Puedes encontrar a un terapeuta que lo haga o comprar el sistema para tu casa (la unidad cuesta diez mil pesos, aproximadamente).

ALIVIAR LOS ESPASMOS, EL DOLOR, LA DEPRESIÓN Y LA ANSIEDAD

La *Cannabis* (la marihuana) es una planta terapéutica no disponible al público. Cuando se legalice la marihuana con fines medicinales, con ella se podrán disminuir los espasmos así como aliviar el dolor, la ansiedad y la depresión.

La mejor manera de usar esta hierba es en té, utilizando cualquier parte de la hierba. Muélela y coloca una cucharada en una taza de agua caliente. Deja reposar durante quince o treinta minutos y bébela una o dos veces al día, o más si es necesario.

La otra opción es moler la hierba, mezclar una cucharada en una taza con mantequilla de almendra y tomar una cucharada diariamente. Beber el té de *Cannabis* con el estómago vacío evita la sensación de zumbido.

Mynax es un suplemento con ácido etanolaminofosfórico de calcio, magnesio y potasio quelato. El ácido etanolaminofosfórico es parte esencial de la capa de mielina y de las membranas celulares. Este mineral de formulación alemana ayuda a la activación adecuada de las neuronas y puede ser útil para equilibrar y apoyar al sistema nervioso central, aliviando los espasmos musculares, los temblores, la fatiga, los cambios de ánimo y los dolores de cabeza.

TERAPIA ENZIMÁTICA

La terapia enzimática es útil para acelerar la curación del cuerpo. Tomar dosis de enzimas vegetales o pancreáticas con el estómago vacío tiene un efecto distinto a cuando se toman con alimentos; con alimentos ayuda a digerir lo que has comido, mientras que en ayunas puede tener diferentes funciones: disminuir la inflamación, descomponer las toxinas, mejorar la circulación, purificar la sangre, acelerar la recuperación de los tejidos, estimular la inmunidad, remover el tejido cicatrizado y la placa, y fortalecer y restaurar la resistencia general del cuerpo. La terapia enzimática es útil durante un período de crisis porque puede eliminar la necesidad de esteroides.

El cuerpo reconoce a los hongos, las bacterias y los virus como enemigos (antígenos) y produce anticuerpos (proteínas producidas por el sistema inmunológico) que se enlazan con el antígeno para formar un complejo inmune. Estos complejos circulan en la sangre y/o se fijan en los tejidos del cuerpo. Se sabe que los pacientes con esclerosis múltiple tienen niveles altos de complejos inmunes circulantes. La terapia de enzimas destruye estos complejos, específicamente aquellos que atacan la capa de mielina y otros tejidos.

Recomiendo el Vitalyzm X, de World Nutrition. La dosis depende de cada individuo pero yo recomiendo tomar la dosis máxima del envase (dos cápsulas, tres veces al día, sin alimentos) durante uno o tres meses. Durante una crisis, yo tomaría cinco cápsulas, tres veces al día, lo cual podría evitar la necesidad de esteroides.

Las mejoras que tendrás son mayor energía, menos espasmos e inflamación, un rango de movilidad más amplio y una ligereza general del cuerpo.

NOTA: Dado que las enzimas licuan la sangre del cuerpo y retrasan la coagulación, la terapia enzimática no se recomienda a mujeres embarazadas, pacientes con úlcera, gastritis, hemofilia o quien esté usando medicamentos que adelgacen la sangre.

RECONSTRUIR LA CAPA DE MIELINA

Al tratar la candidiasis es importante reconstruir la capa de mielina. Antes se pensaba que no era posible regenerar las neuronas, pero actualmente los científicos piensan diferente. Como dijo un investigador: "Se reporta que las lesiones de la esclerosis múltiple crónica contienen un número sustancial de células precursoras de oligodendritas".[32] Otro investigador encontró que "la mielina del sistema nervioso central puede ser reparada y los mecanismos que promueven la remielinización endógena pueden representar una estrategia terapéutica viable".[33]

De acuerdo con el neurólogo David Perlmutter, "para crear el ambiente más ventajoso para reparar y regenerar la mielina se requiere un abastecimiento adecuado de ácidos grasos esenciales. Setenta y cinco por ciento de la mielina se compone de grasa, con una cantidad sustancial proveniente de los ácidos grasos esenciales".[34]

Un lípido o grasa es parte de la cubierta del cerebro y se encuentra en los nervios y en las células musculares. El Omega 3 y el Omega 6 son ácidos grasos esenciales que necesitan ser ingeridos diariamente ya que son los constituyentes de los tejidos cerebrales y nerviosos. Los puedes obtener de alimentos como las nueces y semillas, los pescados de agua fría (sardinas, bonito, salmón, preferiblemente silvestres y no criados), las verduras de hojas oscuras y las legumbres; sin embargo, para llegar a niveles terapéuticos necesitas tomar ácidos grasos esenciales en forma líquida. Recomiendo los productos de alta calidad como EPA/DHA High-Potency Oil (de Metagenics), Fish Oil (de Carlson) o Ultimate Omega Liquid (de Nordic Naturals). La dosis terapéutica sería el doble de la dosis recomendada en la etiqueta.

LOS NUTRIENTES PARA LA REPARACIÓN DEL SISTEMA NERVIOSO CENTRAL

Los suplementos cruciales para la restauración de las funciones del sistema nervioso central son las vitaminas C y E. La vitamina C es un antioxidante que protege el cerebro y la médula espinal de los radicales libres y fortalece el sistema inmunológico. La vitamina E, otro antioxidante, mejora el aprovechamiento del oxígeno, protege las membranas celulares del ataque de los radicales libres y también mejora el sistema inmunológico. Las dosis para los pacientes con esclerosis múltiple necesitan ser mayores que los de una persona normal. Los niveles terapéuticos de vitamina C van de 3000 a 7000 miligramos (de tres a siete gramos) diariamente. Las dosis de vitamina E son de 1200 a 2000 UI (unidades internacionales) diariamente, si el paciente es ambulatorio; y 3000 UI, si el paciente está en cama o en silla de ruedas.

La acetil-l-carnitina, el extracto de semilla de uva, todo el complejo B —particularmente la vitamina B_{12}—, la n-acetilcisteína, la fosfatidilcolina, la fosfatidilserina, la vitamina D, la CoQ_{10}, el ácido alfa lipóico y el gingko biloba son requerimientos adicionales para revertir la esclerosis múltiple. El Ceralin Forte (de Metagenics) y NeuroActives (de iNutritionals) son fórmulas combinadas que incluyen algunas de estas sustancias y reducirán la cantidad de pastillas que tienes que tomar.

TRATAR VIRUS, BACTERIAS Y PARÁSITOS

La solución para deshacerte de otras infecciones microbianas es eliminar su abastecimiento de comida. Los virus, las bacterias y los parásitos, al igual que los fermentos/hongos, se nutren de azúcar. Eliminar el azúcar de tu dieta es esencial para detener la infección. Al seguir la dieta de la cándida y un protocolo antimicótico, matarás más que solamente la cándida; también atacarás a los virus, los parásitos y las bacterias. Los virus se vuelven inactivos, las bacterias malignas son eliminadas y los fermentos vuelven a estar en equilibrio.

Sin embargo, algunas infecciones bacterianas requieren tratamiento adicional. Si eres positivo a la *Chlamydia pneumoniae*, una infección bacterial, debes tomar un antibiótico llamado Dxyciclina. Pide a tu médico que te recete 100 miligramos dos veces al día durante veintiún días. Durante el tratamiento, asegúrate de tomar un antimicótico como la Nistatina, o Candida Cleanse, junto con un prebiótico que contenga *acidophilus* y *bífidus* para mantener los fermentos controlados.

Si resultas positivo a la enfermedad de Lyme —provocada por una bacteria que es transmitida por las garrapatas—, uno de los mejores tratamientos es la uña de gato —hierba de selva tropical—, o *pau d'arco* (lapacho). El *pau d'arco* es un poderoso antimicrobiano herbal y es efectivo para eliminar los virus, bacterias, fermentos/hongos y parásitos. La terapia antibiótica es normalmente recomendada para tratar el Lyme, por lo que si decides usar este método, asegúrate de tomar un antimicótico junto con los antibióticos.

REMOCIÓN DE AMALGAMAS Y TERAPIA DE QUELATOS

Uno de los mejores indicadores de niveles altos de mercurio en el cuerpo es el análisis de orina. El segundo mejor es un análisis del cabello. Si decides removerte las amalgamas de plata-mercurio, lo cual yo recomiendo, trabaja con un dentista con experiencia en ello. Debe conocer el protocolo correcto y utilizar un dique dental para evitar que las partículas de mercurio caigan bajo tu lengua; también debe ponerte una máscara para que no respires los vapores de mercurio al hacer la perforación.

Trabajar con dentistas que usen materiales compatibles para remplazar tus amalgamas puede resultar muy caro. Encontré que las amalgamas de resina que son muy parecidas al color de tus dientes, están hechas con plástico que funciona bien.

Aun si usas la máscara y el dique dental, los vapores de mercurio se filtrarán en tu cuerpo; por ello, es esencial que uses un quelato para eliminar los residuos de metal. El té de trébol rojo es uno de los mejores quelatos; remueve los residuos de mercurio de los órganos y tejidos y limpia la sangre, los riñones y el hígado. Bebe ocho tazas de té de trébol rojo diariamente, durante y antes del procedimiento, y también en los tres meses posteriores a la remoción de las amalgamas. Asimismo, debes tomar un suplemento multimineral sin hierro para reintegrar los minerales a tu cuerpo.

Otro agente limpiador es el cilantro, que se puede tomar en tintura líquida o adicionado a un jugo de verduras fresco. El cilantro moviliza el mercurio y otros metales pesados, por lo que también debes tomar chlorela para sacarlos del cuerpo. Se recomienda su ingestión durante un mes después de la remoción de las amalgamas.

Un producto quelatante de vanguardia que recomiendo ampliamente es Natural Cellular Defense de Waiora. Contiene zeolita, un mineral volcánico que quelata los metales pesados sin llevarse los minerales benéficos como el calcio, el magnesio, el potasio, etcétera. Incrementa la dosis paulatinamente hasta tomar diez gotas tres veces al día diluidas en agua. Sólo necesitas comprar un paquete de cuatro, que te durará de seis a ocho semanas.

Aun si no tienes amalgamas, los metales pesados se acumulan en el cuerpo por el aire que respiras, la comida y el agua que tomas por lo que, en cierto sentido, la quelatación es necesaria.

SUEÑO

Es crucial dormir lo suficiente para que el organismo repare y duplique las células sanas. Es ideal que te acuestes a las diez de la noche y duermas un mínimo de seis a ocho horas cada noche. Si tienes problemas para dormir usa productos naturales como la raíz de valeriana, Sound Sleep (de Gaia Herbs), 5HTP (de Jarrow), Benesom (de Metagenics) o las fórmulas homeopáticas. Los ejercicios de respiración y los CD de hipnosis te pueden ayudar. Tu habitación debe estar lo más oscura posible para que la glándula pineal produzca los niveles óptimos de melatonina, un poderoso antioxidante.

CAPÍTULO 10

•

Nutrición: regenera tu cuerpo intoxicado y agotado

UNA DIETA SALUDABLE

Cuando doy conferencias la gente me pregunta frecuentemente: "Todo causa cáncer. Entonces, ¿qué podemos comer o beber?" Es cierto que el cuerpo debe adaptarse más que nunca debido a la saturación de contaminantes, pero no es necesario vivir con miedo. El organismo puede soportar más de lo que imaginas; sin embargo, hay un punto donde maltratarte con malas dietas, vivir en un ambiente contaminado, usar energía en emociones y pensamientos negativos y operar con altos niveles de estrés, comenzará a apagar el cuerpo.

¿Qué es una dieta sana? Consiste en fruta fresca orgánica, verduras, granos integrales, nueces y semillas, frijoles y legumbres, aceites y edulcorantes no refinados, pescado, carne libre de hormonas y antibióticos. Al seguir una dieta saludable, con alimentos no procesados y mucha agua, puedes extinguir la esclerosis múltiple y ayudar a que las células sanas, los tejidos y los órganos se dupliquen en tu cuerpo.

Necesitas saber qué alimentos son benéficos y cuáles debes evitar.

Las frutas, verduras y plantas son abundantes en fotoquímicos que previenen el cáncer y revierten las enfermedades. Lo más importante es consumir verduras de hojas oscuras como espinaca, berro, col, hojas de mostaza, nabo, hojas de diente de león, arúgula, verduras *baby*, *bok choy*, col negra y germen. Están llenas de vitaminas y minerales, especialmente vitamina B_6 y magnesio, necesarios para muchos de los procesos metabólicos de tu cuerpo. Las verduras crucíferas como el brócoli, los gérmenes de Bruselas y la coliflor contienen compuestos naturales que ayudan a las funciones hepáticas. Las nueces y semillas contienen ácidos grasos esenciales, necesarios para las membranas celulares.

Entre más descubrimos los compuestos benéficos de los alimentos saludables, es más claro que una dieta sana es esencial. Con ello detienes el proceso de las enfermedades y reduces la cantidad de suplementos que necesitas para mantener tu salud.

COMIDA ORGÁNICA

No entendemos todavía los efectos negativos de los alimentos genéticamente modificados, pero sabemos que los pesticidas y herbicidas sintéticos utilizados en los alimentos diseñados genéticamente son carcinógenos.

Puedes obtener la mejor calidad de nutrientes y evitar los químicos si compras productos de agricultores orgánicos certificados como frutas, verduras, carnes y lácteos orgánicos. Esta comida es más cara, pero tú y tu salud son la inversión más importante. La calidad supera la comodidad cuando se trata de curar tu cuerpo. Asegúrate de lavar todas tus frutas y verduras con un poco de jabón y agua o un producto natural para lavar y desinfectar.

DIETA VEGETARIANA

Los vegetarianos tienen cierta razón sobre los aspectos negativos de comer carne. Es verdad, desafortunadamente, que los animales son tratados de forma inhumana y que el uso de hormonas y antibióticos está muy difundido. Sin embargo, he encontrado que el consumo de cierta proteína animal cada semana (cuando éstos son alimentados con hierbas, sin antibióticos ni hormonas) es la manera más fácil de mantener tu cuerpo en equilibrio. Es importante que tu cuerpo tenga una masa muscular sostenida y ésta se puede reducir si estás en una silla de ruedas. La proteína animal magra —como el pollo, el pavo y el pescado— te puede ayudar a reducir este problema.

Por otro lado, la grasa saturada de la proteína animal, particularmente cuando consumimos carne roja en exceso, puede aumentar la inflamación y, dado que la esclerosis múltiple es un padecimiento inflamatorio, es mejor evitar la carne roja o comerla en pequeñas cantidades.

Convertirse en vegetariano es una decisión que solamente tú
puedes tomar. Si lo decides o ya lo eres, infórmate. Muchos de mis
parientes vegetarianos no son sanos dado que no compensan los nutrientes, como los aminoácidos y ciertas vitaminas B, que dejan de
adquirir de la carne. También he encontrado que sus dietas frecuentemente contienen grandes cantidades de azúcares y carbohidratos
refinados que degradan las vitaminas y minerales, lo cual conduce a
una degeneración del organismo.

GRANOS INTEGRALES

Los granos integrales son carbohidratos complejos que no han sido
blanqueados o que aún conservan la fibra, como son amaranto, cebada, arroz integral, el trigo sarraceno, maíz, kamut, mijo, quínoa,
avena, el centeno, la escanda, *teff* o *Eragrostis tef*, trigo integral.

Los granos contienen vitamina B que equilibra al sistema nervioso
central. También tienen fibra, importante para mantener la evacuación
intestinal y las paredes del colon saludables. Mi última recomendación es
siempre el maíz y el trigo debido a las reacciones alérgicas potenciales.

GRASAS BENIGNAS

Como discutí anteriormente, hay diferencias sustanciales entre las grasas
benignas y malignas. Tu cuerpo necesita grasas benignas como la Omega
3, 6 y 9, ya que cada membrana celular está cubierta con ellas. Las grasas
benignas ayudan a la regulación hormonal, la presión arterial, las funciones cardiacas, la inflamación, el dolor y la neurotransmisión.

Tu cuerpo no puede producir las grasas Omega, por lo que las
debes incluir en tu dieta.

Los alimentos ricos en Omega 3 son los pescados de aguas profundas, las verduras de hojas oscuras, el coco, la linaza, el aceite de

pescado, el aceite de semillas de cáñamo, el krill, el aceite de oliva, las nueces y semillas, el aguacate y pequeñas cantidades de mantequilla orgánica sin sal, que también tiene vitamina A y D. Para restaurar la capa de mielina y reducir la inflamación es fundamental ingerir alimentos ricos en Omega 3 y tomar suplementos adicionales.

El Omega 6 es un ácido graso esencial que se encuentra en los huevos, las nueces y semillas, los aceites, la carne de animales alimentados de hierba; sin embargo, también debes tomarlo en suplementos.

Las grasas saturadas benignas se encuentran en el huevo, la carne y el aceite de coco, la mantequilla, la manteca de leche de búfalo, el queso de cabra y la carne de animales alimentados de hierba.

No te dejes engañar por los alimentos bajos en grasa. Por lo general contienen grandes cantidades de químicos y azúcares refinadas.

PROTEÍNA ANIMAL

El pescado, los huevos, el pollo y el pavo libres de antibióticos se descomponen en aminoácidos que el cuerpo necesita para regenerar y reparar células, tejidos y órganos. La mayoría de los pacientes con esclerosis múltiple se beneficia de comer un poco de proteína animal ya que mantiene los niveles de azúcar balanceados. Si consumes proteína animal menos de tres veces a la semana probablemente generes deficiencias en tu cuerpo, a menos que seas vegetariano. Si lo eres, necesitas cuidar el equilibrio de los carbohidratos.

Como mencioné anteriormente, es mejor evitar la carne roja, pero a algunas personas les sienta bien en pequeñas cantidades. Escucha a tu cuerpo si sientes que la necesita. Es mejor si la preparas en término rojo o medio. La clave es digerirla bien. Si tienes problemas con la digestión de la carne, te puede ayudar la enzima digestiva que contiene ácido clorhídrico y pepsina. Dado el alto contenido de mercurio en el pescado, el atún enlatado y los mariscos de concha, éstos deben de ser evitados. Todo el pescado contiene metales pesados pero lo positivo le gana a lo negativo con especies como el salmón del Pacífico, el bacalao, el hipogloso y el pescado blanco, que se pueden comer en cantidades moderadas.

LEGUMINOSAS Y LEGUMBRES

La gran variedad de leguminosas y legumbres disponibles incluyen el frijol adzuki, el negro, las habas, el garbanzo, el frijol bayo y canario, las lentejas, el frijol verde, el garbanzo verde, el frijol pinto, los chícharos y los frijoles de soya. Son muy altos en proteína pero también en almidón, que se convierte en azúcar en el cuerpo, por lo que es mejor tomarlos en pequeñas cantidades. El frijol adzuki y el garbanzo verde son muy altos en proteína y se pueden tomar en grandes cantidades. La soya se consume y se procesa de más. Es aceptable comer pequeñas cantidades de frijol de soya, tofu y leche de soya, pero es mejor evitar la proteína de soya aislada que se vende en polvo y en barras.

Para evitar que provoquen flatulencia, es necesario enjuagar los frijoles, tirar el agua y cocinarlos en agua nueva, con las siguientes hierbas y especias para una mejor digestión y sabor: comino, clavo, alcaravea o comino de prado, eneldo, hinojo, salvia, tomillo, cebolla, orégano, jengibre, ajo, romero, tarragón y cúrcuma.

VERDURAS

Las verduras orgánicas están llenas de fotoquímicos que tu cuerpo necesita para regenerarse. Dado que las verduras tienen propiedades alcalinizantes, equilibran la acidez del cuerpo, lo cual reduce la inflamación. Las verduras de hojas verdes son alimentos ricos en nutrientes y contribuyen a revertir la esclerosis múltiple en gran medida. Necesitas consumirlas diariamente y es recomendable que tomes suplementos de alimentos con hojas verdes.

FRUTAS

Las frutas orgánicas tienen muchas vitaminas y minerales que mantienen balanceado al organismo. Sin embargo, necesitas limitar su ingestión porque las frutas tienen un alto contenido de azúcares naturales que alimentan la cándida y una dieta alta en azúcar fomenta el progreso de la esclerosis múltiple. Las moras contienen menor cantidad de azúcar y su cáscara tiene propiedades antioxidantes benéficas. Limítate a una fruta diaria o cada dos días.

LÁCTEOS

La ingesta de pequeñas cantidades de mantequilla sin sal, así como de los derivados de leche de cabra y oveja, proveen al organismo de aminoácidos, vitaminas y minerales.

Las mujeres con esclerosis múltiple que están embarazadas y lactando parecen asimilar mejor la leche y los quesos de cabra y oveja debido a su estructura molecular similar, mientras que los productos de vaca congestionan el cuerpo.

El consenso general es que comer y beber más leche es la mejor manera de proveer al organismo de calcio. Como dije anteriormente, no estoy de acuerdo.

Es mejor comer más verduras (plantas de hojas oscuras) que contienen calcio, así como trazas de minerales que ayudan al calcio a entrar en los huesos. La pasteurización y la homogeneización alteran químicamente la leche de vaca. Este proceso, que extrae calcio del cuerpo, altera los minerales y acidifica tu organismo.

La Hydrilla (de MegaFood), Nettle Leaf (de Gaia Herbs) y la alfalfa son fuentes excelentes para nutrirte con calcio y otros minerales. La Goatein (de Garden Life) es un polvo de leche de cabra digerido previamente, por lo que los intolerantes a la lactosa pueden consumirlo.

La deficiencia en la vitamina D prevalece en los pacientes con esclerosis múltiple y juega un rol crucial en la función inmunológica. No recomiendo que se obtenga de los lácteos sino del aceite de hígado de bacalao o de suplementos vitamínicos.

EDULCORANTES NO REFINADOS

Puedes usar la stevia, una hierba que proviene de Sudamérica, durante todo tu programa de combate a la cándida y en adelante. Ésta equilibra el azúcar de la sangre y ayuda a eliminar la cándida. Después de que la cándida está equilibrada, es aceptable consumir la miel no filtra-

da y el néctar de agave en pequeñas cantidades. La miel sin refinar tiene aminoácidos, enzimas, vitaminas y minerales que son benéficos. El
néctar de agave es otro edulcorante que no incrementa drásticamente
el azúcar en la sangre y se puede usar en pequeñas cantidades.

El xylitol, que se obtiene de la corteza del abedul, es un carbohi-
drato que se metaboliza despacio, por lo que no aumenta los niveles
de azúcar rápidamente. Es efectivo para prevenir y reducir las infecciones bacterianas en la boca, los senos paranasales y los oídos. Se debe
tomar en pequeñas cantidades, como en pastillas o en mentas.

COMIDA CRUDA CONTRA COCIDA

Entre más verduras y frutas comas, más enzimas y nutrientes tendrá
tu cuerpo. Al cocinar los alimentos se destruyen las enzimas que tu
cuerpo necesita para digerirlos y asimilarlos. Si tu aparato digestivo
está desequilibrado, inicialmente te darás cuenta de que digieres mejor las verduras al vapor o cocidas; puedes tomar enzimas digestivas
para gradualmente incrementar la cantidad de comida cruda en cada
alimento.

COMBINAR ALIMENTOS

Puedes combinar los alimentos de manera que comas proteína con
verduras o granos con verduras; sin embargo, evita mezclar proteína
con granos en la misma comida. Esto ayuda a quienes tienen problemas de digestión. A algunas personas les funciona comer un poco de
proteína en cada comida, ya sea animal o vegetal, para mantener más
estables los niveles de azúcar y energía.

En este sentido, debes escuchar a tu cuerpo. Si eres hipoglucémico
(bajos niveles de azúcar en la sangre), lo mejor es comenzar en la mañana con proteínas y tomar los carbohidratos complejos durante la comida
y la cena.

La mayoría de los enfermos de esclerosis múltiple tiene desequilibrios en sus niveles de azúcar y necesitan tres comidas al día, más dos
colaciones, para mantener el equilibrio de su metabolismo y niveles de

energía. Si eres propenso a perder peso, come solamente tres comidas al día y evita las colaciones para desacelerar tu metabolismo.

ALERGIAS A LOS ALIMENTOS

La mejor cura para las alergias e intolerancias a los alimentos es abstenerse de comerlos. Para deshacerte de las reacciones alérgicas elimina los alimentos que las desatan durante al menos tres meses. Los detonadores más comunes son la leche, los cítricos, el chocolate, el huevo, el azúcar, las verduras de sombra (tomates, pimientos, papas y berenjena), la soya, el trigo y el maíz. Las reacciones de intolerancia pueden incluir comezón, erupciones en la piel, taquicardia, fatiga, constipación o diarrea, úlceras o un agravamiento de los síntomas de la esclerosis múltiple.

Después de un mes puedes regresar lentamente a esos alimentos. Tu cuerpo te dirá si los acepta o no. Si reacciona entonces tendrás que dejarlos o comerlos con moderación.

La variedad es otra forma de evitar la alergia y la intolerancia. Hay muchas opciones en cada grupo alimenticio para que no comas lo mismo todos los días. Como dice el dicho: "Come un arco iris de alimentos coloridos cada día".

LÍQUIDOS

Los refrescos, el café, el té helado y los jugos de fruta no sustituyen el agua. Como afirma F. Batmanghelidj: "El agua es el mejor diurético natural. El cerebro humano tiene alrededor de nueve trillones de células nerviosas. Las células cerebrales están formadas en 85 por ciento de agua".[35]

Tu cuerpo necesita más agua de la que imaginas. El ideal es beber la mitad de tu peso en litros de agua purificada o filtrada diariamente (por ejemplo, si pesas 68 kilos, necesitas 2.2 litros o alrededor de ocho vasos diarios).

Para facilitar la hidratación, bebe 150 mililitros —poco menos de una taza—, cada hora del día. Si notas que la orina se vuelve oscura es que estás deshidratado. No esperes a sentir sed para tomar agua. Además, beber agua en abundancia puede eliminar síntomas como dolor corporal y de cabeza.

También puedes obtener agua al comer frutas orgánicas frescas y verduras. Otro hidratante excelente es el agua de coco. Con respecto a las aguas minerales, una de las pocas que son genuinas es la Gerolsteiner de Alemania; casi todas las demás son aguas carbonatadas.

TÉS HERBALES

Además de contar como ingesta de agua, los tés herbales también son limpiadores, por lo que debes asegurarte de regresar los minerales a tu cuerpo bebiendo agua purificada. El agua destilada es buena pero no tiene minerales. Si bebes agua destilada entonces toma suplementos de vitaminas y minerales diariamente. Entre los tés más benéficos y terapéuticos disponibles sugiero el de trébol rojo, *pau d'arco*, de romero, el té verde (con o sin cafeína), de manzanilla y de menta.

JUGOS

Los jugos de verduras frescas a las que se les ha extraído la fibra, inmediatamente llenan la sangre con enzimas vivas, vitaminas y minerales. Los jugos también alcalinizan el cuerpo ya que filtran los desechos ácidos.

El tratamiento con jugos se debe realizar correctamente. En primer lugar, no hagas más de 230 mililitros de jugo fresco cada vez. Beber grandes cantidades de una sola vez —como medio o un litro de jugo de zanahoria—, puede hacerte daño ya que contiene demasiada azúcar. En segundo lugar, toma el jugo con el estómago vacío, sea una hora antes de la comida o dos horas después, ya que es un tratamiento para tu torrente sanguíneo y no debe mezclarse con metales pesados. En tercer lugar, bebe los jugos tan pronto como los prepares. La mayoría de las vitaminas y minerales se oxidan al estar expuestos al aire por más de treinta minutos. En cuarto lugar, bebe el jugo lentamente. Paséalo en tu boca para mezclarlo con tu saliva y luego trágalo. Existen diversos libros sobre jugos que puedes consultar para encontrar la mejor receta para ti.

Te recomiendo el siguiente jugo:

½ zanahoria pequeña
½ manzana verde sin semillas
3 tallos de apio
4 a 5 puños de espinaca cruda, hojas de diente de león, col negra, berros y/o perejil
1 diente de ajo sin cáscara y/o
1 rebanada de una pulgada de jengibre (opcional)

El procesador de alimentos Vitamix mantiene la fibra en la mezcla pero lo recomiendo para las frutas y verduras. Es un gran aparato para preparar alimentos saludables y hacer sopa, pero dado que retiene la fibra el aparato digestivo la tiene que descomponer. Recomiendo el extractor marca Breville que se puede comprar en amazon.com o en tiendas departamentales.

CAPÍTULO 11

•

Manejo del ambiente

Aunque tengas poco control sobre las condiciones geográficas en las que vives, puedes hacer muchas cosas para neutralizar la toxicidad ambiental en tu casa y en oficina.

Haz todo lo que puedas para controlar tu ambiente personal por medio de la limpieza del aire, la ingesta de agua purificada, el uso de limpiadores no tóxicos, la alimentación con alimentos orgánicos y sin hormonas. Despreocúpate de lo que no puedas controlar y ten confianza en las medidas que tomas.

AIRE LIMPIO

La limpieza del aire en tu casa y espacio de trabajo es sumamente importante. La tecnología de purificación de aire cambia constantemente, por lo que te sugiero investigar qué es lo mejor para tus necesidades.

Los ionizadores y filtros son los dos tipos básicos de purificadores de aire que hay en el mercado. Existen diferentes tipos de ionizadores; algunos solamente añaden iones y otros también rayos uv y ozono.

Los filtros HEPA han estado en el mercado durante mucho tiempo. Estas unidades atrapan el polvo y el pelo de las habitaciones. Sin embargo, son caros y no eliminan los ácaros ni los químicos.

Las máquinas ionizadoras agregan iones al ambiente; éstos son partículas cargadas positiva y negativamente que se adhieren a las impurezas del aire y hacen que caigan al piso. Algunos también añaden ozono. En niveles altos el ozono puede irritar tu aparato respiratorio superior, pero es muy eficiente para neutralizar ácaros, olores y químicos. Los ionizadores que incluyen luz uv eliminan el riesgo de irritación del ozono y son también efectivos para eliminar los químicos y los ácaros. Los ionizadores que añaden ozono deben usarse en las salas, no en las recámaras, ya que pueden irritar los pulmones.

Si tienes alergias debes invertir en un fluxómetro que te ayudará a identificar cuál de los cuartos o espacios en los que pasas mayor tiempo te están causando problemas. Simplemente debes respirar en el fluxómetro y medir tu capacidad respiratoria. Descubrirás que tu capacidad respiratoria es menor en los espacios con elementos alérgicos. Puedes consultar el servidor de internet Google para encontrar dónde venden los fluxómetros.

AGUA LIMPIA

El agua, nuestro recurso más escaso y contaminado, necesita ser purificado, filtrado o destilado. El agua embotellada no es la mejor fuente de agua limpia dado que las compañías que la embotellan no están reguladas y los niveles de metales pesados, cloro y flúor pueden resultar tan altos como en el agua de la llave. Además, los químicos de las botellas de plástico se filtran en el agua, especialmente cuando se exponen al sol mientras se distribuyen.

La mejor manera de controlar la calidad de tu agua es comprando un sistema de filtrado que se adapte a tu llave de agua. Utiliza un sistema que filtre los químicos, los metales pesados, los parásitos y las bacterias. Como con los purificadores de aire, encontrarás de muchos tipos de filtros en el mercado. Son efectivos los de matriz estructurada, de ósmosis inversa y aquellos que usen luz ultravioleta con filtro de carbón (ver Recursos). Si no puedes instalar uno en tu casa, compra agua destilada embotellada en lugar de usar agua de la llave.

PRODUCTOS NO TÓXICOS DE LIMPIEZA Y CUIDADO PERSONAL

Las tiendas naturistas manejan un gran rango de productos seguros de limpieza y de cuidado personal libres de tóxicos. Cambiar a productos menos tóxicos es un pequeño paso, pero implica una ayuda a tu sistema inmunológico.

EQUILIBRAR CAMPOS ELECTROMAGNÉTICOS

El mercado está lleno de aparatos que dicen contrarrestar los efectos de la exposición a los campos electromagnéticos y las frecuencias. Los productos que recomiendo son los de la compañía BioPro (*ver* Recursos). Otra forma sencilla de hacerlo es realinear tu propio campo energético, durmiendo con la cabeza dirigida hacia el norte magnético y con tus pies hacia el sur.

CAPÍTULO 12

•

Liberadores de estrés

El estrés es parte de la vida. Sin estrés no estarías motivado a sobrevivir. Pero para los pacientes con esclerosis múltiple, el estrés es un agravante principal en la creación y aceleramiento de la enfermedad. Las crisis son provocadas cuando el estrés no se maneja correctamente. Tu cuerpo enfermo no puede rejuvenecer con células nuevas si está estresado todo el tiempo. Busca salidas que te permitan escapar de los síntomas como el ejercicio, la respiración, la meditación, escribir diarios, leer, visualizar tu cuerpo como saludable, ver películas que te hagan reír, tomar la luz del sol y estar en contacto con la naturaleza.

EJERCICIO

El ejercicio es esencial para liberar a tu cuerpo y alma del estrés, así como para mantener tu circulación y el tono muscular. El ejercicio también libera endorfinas (hormonas) que elevan tu estado de ánimo.

Para acelerar la curación resulta esencial mantener la circulación óptima, con el fin de eliminar las toxinas. Tu sistema linfático está compuesto por órganos y una extensa red de vasos linfáticos que juegan un rol importante en la remoción de los desechos del cuerpo. Este sistema opera empujando el fluido contra la gravedad hasta el corazón y hacia el torrente sanguíneo. El sistema linfático no tiene la misma capacidad de un corazón que bombea la sangre, por lo que el ejercicio, las respiraciones profundas, el cepillado de la piel y el masaje se necesitan para estimular y eliminar toxinas.

Ejercitarte no significa ir al gimnasio todos los días y hacer pesas. No necesitas llegar a tanto para lograr que tu cuerpo esté en tono. Dependiendo del nivel de esclerosis múltiple que tengas, podrás ser más o menos activo. Caminar, nadar, hacer ejercicios isométricos, el tai chi, qigong y el yoga son excelentes. El yoga y los ejercicios isométricos son suficientes para detener la atrofia o el daño muscular. Además, el yoga es un excelente ejercicio dado que combina el fortalecimiento y la tonificación física con la respiración profunda. Tres a cinco días a la semana de ejercicio son normalmente suficientes para todos. Si estás en silla de ruedas o tienes una movilidad limitada, los ejercicios isométricos te pueden beneficiar y son fáciles de hacer. Básicamente, mantén tenso cada grupo muscular durante cinco segundos y exhala mientras tienes los músculos en tensión. Después descansa. Trabaja treinta o sesenta segundos de tensión para cada grupo muscular. Puedes encontrar muchos libros sobre ejercicios isométricos en amazon.com.

RESPIRAR

Respirar es vital para aliviar el estrés y eliminar toxinas. Tus pulmones son los desintoxicadores más eficientes dado que respirar libera más de 75 por ciento de las toxinas del cuerpo. El 25 por ciento restante se elimina por la orina, el excremento y la transpiración combinados.

No se debe subestimar ni dar por hecho el valor de la respiración profunda. La respiración concentrada calma la mente, lleva oxígeno al cerebro y las células y libera a los venenos del cuerpo.

Los seres humanos casi siempre operamos en la modalidad de atacar o huir, sin descansar la mente y haciendo un millón de cosas. Esto tiende a hacer nuestra respiración muy ligera, desde la parte superior del pecho, en lugar de hacerla con el abdomen que involucra al diafragma y todo el aparato respiratorio. Por lo que te recomiendo que salgas, te escondas en el baño, que te acuestes o cierres tu oficina: entonces, respira. Tómate tu tiempo y respira profundamente durante unos cuantos minutos, dos o tres veces diarias.

MEDITACIÓN

La meditación significa detener el flujo mental. Es crucial para fortalecer el sistema inmunológico y liberar el estrés mental, emocional y espiritual. Aunque la meditación es una técnica sencilla, es difícil de realizar porque encontramos excusas para no sentarnos cinco o veinte minutos diarios. De cualquier forma, los beneficios son extraordinarios y vale la pena intentarlo.

Comienza con cinco minutos diarios y ve aumentando la duración poco a poco. Siéntate en una posición cómoda, como en flor de loto, con tus piernas cruzadas, contra la cabecera de tu cama o en una silla con tus pies sobre el piso. Mantén tu espalda erguida, cierra tus ojos y comienza a respirar profundamente. Habla contigo mismo: "Me doy permiso de desacelerar la mente". Entonces usa un mantra —un tono o una palabra como *uno, aah*, o *amor*—, que repitas una y otra vez en tu mente para ayudarte a llegar a un estado de relajación. Para desacelerar tu mente también puedes centrar tu mirada hacia tu tercer ojo, entre tus cejas, ver una vela o un punto en la pared. Sigue concentrado en el ritmo de tu respiración y deja que cada inhalación y exhalación te lleve a una relajación más profunda.

Permítete flotar e ir a la deriva. Si los pensamientos conscientes siguen llenando tu mente, déjalos flotar como los números en una cinta continua. No está mal si tu mente consciente está muy activa. Lo principal es no asirte a esos pensamientos y darles energía. Déjalos flotar. Con el tiempo te harás más capaz de permitir que tu mente se desacelere. Durante tu meditación, déjate llenar con el silencio y con una sensación de conexión con todo lo existente. Los momentos de inmovilidad pueden darte sabiduría y las respuestas que te ayudarán a trascender los desequilibrios, ya que estás en el tiempo presente, tu lugar de poder.

Termina tu meditación, visualiza y siente tu cuerpo sano. Observa y siente la luz dorada y rosa que entra a través de tu cabeza, curando y reparando cada célula, órgano y tejido de tu cuerpo. Respira en la luz y exhala sacando el dolor, el estrés y la negatividad. Observa y llena el cerebro y la espina dorsal con la luz dorada y rosa.

La meditación nos vincula con nuestro ser superior y genera salud y equilibrio en la vida.

TOMAR EL SOL

Con una exposición diaria a la luz del sol durante 15 o 20 minutos te nutres con suficiente vitamina D para absorber el calcio y otros minerales. Además, la luz del sol promueve el optimismo y una actitud positiva y saludable. Veinte por ciento de tu piel necesita ser expuesta; con tus manos y cara es apenas el cinco por ciento. Si vas a estar directamente en la luz del sol durante más de treinta minutos, usa un filtro solar con un factor no mayor de 15. Los de mayor concentración contienen más químicos tóxicos.

CONSIÉNTETE

Consiéntete. Curarte implica honrarte primero a ti mismo. Date un masaje cada mes o más seguido si es posible. El masaje ayuda a eliminar los desechos y la tensión de tu cuerpo. Ve a comer fuera y al cine. Cómprate algo que te guste usar, un libro o alguna herramienta para tu pasatiempo favorito.

FAMILIA Y AMIGOS

Una forma positiva de olvidar la enfermedad es disfrutar las actividades sociales y compartir con la familia, niños y amigos. Ríe lo más que puedas. La risa libera los químicos benignos que apoyan tu curación. La clave es que no te aísles porque te puede hacer sentir sin esperanza.

ESCRIBIR UN DIARIO

La escritura libre, sin editar, es una muy buena manera de liberar el estrés. Te da también una mayor conciencia y entendimiento de los pensamientos reprimidos, sentimientos y creencias que pueden estar afectando tu salud. Escribir sin juzgar es importante ya que te da la posibilidad de expresar tus sentimientos verdaderos. Además, puedes romper y tirar lo que escribiste como parte del proceso de limpieza, aceptación y liberación.

LOS PASATIEMPOS

Si estás interesado en las manualidades, la fotografía o en leer novelas de misterio, hazlo ya que los pasatiempos ayudan a que tu mente se desacelere porque tu mente se concentra en una sola cosa, como sucede con la meditación. Si tu movilidad es limitada, inventa nuevas formas de mantener tu mente activa y concentrada. Prueba los crucigramas y los rompecabezas, por ejemplo.

EL CAMPO MAGNÉTICO DE LA TIERRA

Puedes utilizar la fuerza de gravedad para neutralizar el estrés. Es muy fácil. Intenta abrazar un árbol que puedas rodear con tus brazos. Abrázalo por treinta segundos y siente cómo la tensión corre de tus piernas hacia la tierra. A mí me tomó algunos meses decidirme a hacerlo porque temía que alguien me viera y pensara que estaba loca por abrazar árboles. Si te avérgüenza abrazar árboles te estresarás más, pero de todas formas inténtalo.

También puedes entrar en contacto con el campo gravitacional de la tierra con los pies descalzos en el pasto o en la arena, o descansando boca abajo sobre una sábana en el pasto o en la arena. Sentirás cómo desaparece el estrés.

ACUPUNTURA

La acupuntura es una técnica de la medicina tradicional china que usa agujas del grosor de un cabello para curar el dolor y el estrés. Es muy eficiente para aliviar el estrés e incrementar la circulación.

OBTÉN AYUDA

Necesitas trabajar para eliminar el estrés crónico o de lo contrario éste destruirá tu salud. Invierte tu tiempo en las prácticas que te he aconsejado. Si sientes que necesitas más ayuda, obtenla. Busca a un terapeuta o hipnoterapeuta que trabaje en la reducción de estrés. Escucha discos compactos de música especialmente escogida para reducir el estrés. Busca a un entrenador que te motive y ayude con el ejercicio. Si sabes que tus niveles de estrés están fuera de control, invierte todo el tiempo que puedas en restablecer el equilibrio.

CAPÍTULO 13

•

Condición anímica y mental

La fuerza mental y emocional es tu aliada más poderosa para combatir la esclerosis múltiple. Puedes usar tu consciente y subconsciente para ayudar a curarte, dejando los miedos, la negación y otros estados que suprimen tu sistema inmunológico. Para comenzar a identificar y liberar las emociones enfermizas, debes estar consciente de los patrones y sumergirte más profundamente en la relación contigo mismo.

Esto podría parecer el tener que hacer un gran esfuerzo o algo que quisiéramos olvidar. Pero entre más pronto dejes la negación y comiences a cuestionar las emociones y los pensamientos negativos, más rápidamente podrás liberarlos y llegar al momento de tu vida en el que realmente sientas que tu pasado se ha ido. Es más fácil decirlo que hacerlo porque ya llegaste a un punto en el que no estás consciente de las maneras en que tus acciones se fundamentan en las emociones basadas en el miedo. Limpiar la casa emocional no significa que liberes cada experiencia desagradable del pasado. Más bien, significa buscar los patrones y temas que siguen apareciendo y causando estragos en tu vida.

LO QUE PIENSAS ES LO QUE ERES

Aunque no lo creas, puedes decidir todo lo que pienses y sientas. Es tu decisión si dejas que el diagnóstico de la esclerosis múltiple te haga sentir devastado, o si decides derrotarlo. Al estar más consciente y llenar de energía positiva tus pensamientos y sentimientos, puedes cambiar las funciones celulares y volver a estar sano.

Desvelar tus miedos y liberarlos es esencial en el proceso curativo. La esclerosis múltiple tiene un fundamento emocional centrado alrededor de la devaluación personal y la furia reprimida.

El primer paso hacia una curación mental y emocional es empezar a ver a esta enfermedad desde el punto de la negación. ¿Qué es lo que no estoy aceptando? Esto es lo que se necesita para comenzar a descubrir lo que has estado escondiendo bajo la alfombra o en el desván, ya sea coraje, tristeza, dolor frente al abandono, rechazo o miedo.

La esclerosis múltiple es una prueba de la que puedes aprender a retomar tu poder confiando en ti. Es una oportunidad para transformarte y hacerlo significa encontrar modos de liberar el bagaje emotivo y mental que mantiene al sistema nervioso central alterado. Como lo mencioné anteriormente, hay muchas formas de ayuda disponible hoy día, como los consejeros, la hipnosis, la oración, el trabajo con la energía, los diarios y la terapia por medio del arte, entre otros, que pueden ayudarte con esta tarea.

En segundo lugar, pregúntate: "¿Realmente creo que mi cuerpo se puede regenerar a un nivel celular?" Si tu respuesta es no, entonces no será posible, ya que tus convicciones son la base de tu existencia. Un nuevo pensamiento de que eres capaz de regenerar tu cuerpo no va a derrotar años de una creencia (visiones, percepciones y sentimientos) que dice: "No es posible". Notarás mejoría si sigues la dieta y tomas antimicóticos y suplementos, pero la transformación completa sucede si te preparas para estar sano en todos los niveles: mental, emocional, físico y espiritual.

Presta atención a tus pensamientos y escoge solamente aquellos que sean benéficos para ti. Cuando los miedos aparezcan, reconócelos inmediatamente y dales permiso de salir. Aceptarlos, darte permiso de dejarlos y remplazar los pensamientos negativos por positivos o por una acción neutral (respirar profundamente, beber un vaso de agua, concentrarte en tu trabajo) son los tres pasos más importantes para manejar tu mente.

¿CÓMO ALCANZAR TU MENTE SUBCONSCIENTE?

Como lo mencioné en la segunda parte, el subconsciente es desde donde realmente actúas; es una bodega de creencias y hábitos repetidos. El secreto para llegar al subconsciente consiste en entrenarte a nivel consciente a través de un discurso concentrado y por medio de la repetición. Las dos formas más poderosas de lograrlo son la hipnosis y hablar en voz alta con afirmaciones como sucede en la oración. Cuando estás enfermo es importante cambiar el esquema de la enfermedad que se ha almacenado en tu subconsciente. Puedes estar almacenando sistemas de creencia que necesitan ser remplazados, miedos que necesitas eliminar y patrones de pensamiento negativo que deben cambiar. Una vez que lo hagas, experimentarás paz mental y salud en todos los niveles de tu vida.

HIPNOSIS

La hipnosis es una técnica que utiliza la relajación profunda y la concentración. Se trata de una de las formas más rápidas y poderosas de comunicarte con tu subconsciente para liberar y cambiar tus pensamientos, miedos y creencias.

Desafortunadamente, la hipnosis tiene aún muchas connotaciones negativas relacionadas. No hay nada atemorizante en la hipnosis una vez que entiendes cómo trabaja. La hipnosis es simplemente una relajación profunda y de gran concentración. Eso es todo. No temas perder el control o hacer algo que no quieres. Si acaso, estarás más controlado dado que la hipnosis permite desacelerar los pensamientos conscientes y hacerte más consciente de lo que pasa en el presente. Una vez dentro del estado de relajación, tu hipnoterapeuta tiene un gran acceso a tu subconsciente y puede hacer sugerencias que ayudarán en tu proceso curativo. El subconsciente siempre está escuchando, pero cuando estás relajado y con la conciencia desocupada las sugerencias habladas tienen una gran recepción.

Para entender mejor la hipnosis necesitas entender que somos seres electromagnéticos. Generamos energía eléctrica medible por segundo. El cerebro puede pasar por cuatro estados diferentes de frecuencia energética: *alfa*, *beta*, *theta* y *delta*. En tu estado consciente y de alerta estás en *beta*, que produce de veinte a cuarenta unidades de energía por segundo. En *beta* no estás cien por ciento concentrado; puedes pensar, sentir y darte cuenta de muchas cosas al mismo tiempo. Cuando entras en la hipnosis bajas a estado *alfa*, que genera diez o doce unidades de energía por segundo y en el que la conciencia está adormecida. El estado hipnótico es un estado alterado, no como el sueño o como la vigilia, sino muy parecido al sentimiento que tenemos cuando despertamos por la mañana o justo antes de dormir en la noche y no queremos que nos molesten. En este estado es cuando se dan los mayores aprendizajes y se pueden remover miedos, hábitos, patrones y emociones inútiles. Existen otros dos estados de la mente: *theta* y *delta*, que son estados de sonambulismo.

Diariamente entramos en trance hipnótico. Por ejemplo, si vas manejando en la carretera y te das cuenta de que ya llegaste a tu salida o cuando ves una película y te das cuenta de que al terminar ya pasaron dos horas. Eso es hipnosis; concentración y relajación.

Para obtener resultados efectivos de la hipnosis se requieren dos cosas; en primer lugar, necesitas un fuerte deseo de resolver el problema; en segundo lugar, debes confiar y sentirte bien con tu hipnoterapeuta. Integrar hipnosis en los tratamientos de los pacientes con esclerosis múltiple es una herramienta curativa muy valiosa. He pedido a mis pacientes que visualicen cada célula de su cuerpo, cada órgano y tejido que se repara. Los ayudo a identificar y liberar las creencias limitantes y a remover los pensamientos y emociones negativas que se acumulan en su cuerpo. Abro la puerta para que mis pacientes se den permiso de curarse. Con el fin de hacer el trabajo más efectivo, grabo nuestras sesiones de hipnoterapia para que las escuchen al dormir durante los siguientes veintiún días y así saturen su subconsciente con sugerencias positivas.

Recuerda, los pensamientos crean energía y si piensas, imaginas y sientes un cuerpo sano, eventualmente te convertirás en esa visión.

HABLAR EN VOZ ALTA

Otra forma efectiva de alcanzar tu subconsciente es hablar en voz alta. Las vibraciones del sonido crean frecuencias que modifican la materia física. Hablarte a ti mismo positivamente en voz alta reforzará y apoyará el proceso curativo.

El simple concepto de hablar en voz alta es increíblemente poderoso y, sin embargo, muy menospreciado. La mayoría nos sorprendemos cuando nos encontramos hablándonos a nosotros mismos pero funciona, en especial cuando son pensamientos negativos y miedos. Reflexiona sobre la letra de una canción que te haya afectado, un discurso que te haya conmovido hasta las lágrimas o la conexión que sientes cuando estás rezando. Es la vibración de las palabras aquello que te hace sentir. El sonido que aparece con gran fuerza genera una mayor manifestación de poder que cuando lo afirmas y lo hablas. Las afirmaciones, las oraciones, los cantos, los tarareos y hablar en voz alta contigo mismo tienen una cosa en común: cambian tu realidad.

AFIRMACIONES

Las afirmaciones son oraciones, palabras, frases, o declaraciones que se dicen en voz alta. Son más efectivas cuando las dices diariamente ya que el subconsciente responde a la repetición. No hay un número mágico sobre cuántas veces debes decir tus afirmaciones, pero entre más las digas es mejor; un mínimo de tres veces consecutivas es esencial. Te puedes llegar a sentir tonto y avergonzado al principio, pero pasará. Hazlo en un espacio privado para que te sientas cómodo; en el coche, la regadera, frente al espejo o cuando caminas. Al decir tus afirmaciones día y noche notarás cambios. Llena de energía tus afirmaciones diciéndolas con convicción.

Un ingrediente importante para cumplir las afirmaciones es darte permiso de hacerlo. Esto es porque has sido condicionado a ser condicional, lo que te deja atrapado en la resistencia. Si comienzas con la frase: "Me doy permiso de…", entonces te permites avanzar. Después de un corto período verás que no necesitas darte permiso y simplemente puedes decir tu afirmación.

Algunas religiones proclaman que pedir lo que quieres es egoísta. No estoy de acuerdo. Pedirle a Dios lo que quieres significa que te sientes valioso. Sólo un comentario al margen; pon atención y sé específico con tus palabras y cómo pides las cosas ya que muchas veces lo que deseas llegará, pero de la forma más desconcertante. Una forma segura es calificar tu afirmación con las palabras como "fácilmente y sin esfuerzo", al inicio o al final de la oración. También ubica tu afirmación en el presente diciendo: "Soy…", y no: "Quiero…" o "Tendré…". Debes decirlo como si ya existiera.

Abajo enlisto ejemplos de afirmaciones que puedes modificar y encontrarás más en la cuarta parte. No tengas miedo de escribir las tuyas. Tú sabes mejor que nadie lo que necesitas para vencer los retos.

Ejemplos de afirmaciones

Me doy permiso de liberar los enojos conscientes e inconscientes, fácilmente y sin esfuerzo.
Me doy permiso de aceptar quien soy, fácilmente y sin esfuerzo.
Me doy permiso de curarme física, mental, emocional y espiritualmente, fácilmente y sin esfuerzo.

La neutralidad es la observación sin juicio y sin carga emocional negativa. Es una modalidad del pensamiento y de los sentimientos que te ayuda a lidiar con las personas en situaciones que no puedes controlar. Te protege porque dejas de tomar la energía negativa de los otros. También es una forma de manejar las experiencias negativas del pasado.

El objetivo de liberar tus miedos es convertirte en neutral para que los detonadores del pasado no te causen furia o miedo. Un ejemplo sería una mujer que ha sido abusada sexualmente en la infancia. El primer paso es darse cuenta y reconocer que sigue cargando con miedos al respecto. En segundo lugar necesita darse permiso de aceptar y liberar los sentimientos de coraje y tristeza. El último paso es remplazar los miedos, trabajando en su subconsciente a través de la hipnosis, afirmaciones, meditación y otras técnicas. La clave es liberar las emociones del pasado, tener un mayor entendimiento de la experiencia, aprender de ella conscientemente y operar emotivamente desde un punto neutral hasta el presente. Esto requiere un gran valor, pero la mujer en cuestión se beneficiará mucho al perdonar a quien la maltrató, lo cual le permitirá salirse de la furia para buscar una verdad mayor acerca del aprendizaje de esta experiencia. El resultado ideal sería que mire hacia atrás y se sienta completamente neutra hacia la experiencia y hacia el abusador.

La neutralidad es más real cuando la apoyas con pensamientos y actos repetitivos. Cada acontecimiento negativo o traumático de tu vida se puede convertir en una oportunidad de crecimiento o en una prisión.

YA NO MÁS UNA VÍCTIMA

Otro aspecto importante al examinar tus emociones es darte cuenta de que nadie puede hacerte sentir nada. Tú puedes escoger lo que sientes y piensas. Y cuando crees que otra persona te hace sentir algo estás renunciando a tu poder.

Por ejemplo, si un hombre se te acerca en la calle y te escupe en la cara, tú puedes elegir enojarte, reír o mantenerte neutral. A la gente le resulta más fácil culpar a los demás por sus cuestionamientos, pero esto solamente establece un círculo vicioso de ser la víctima.

Ser codependiente —cuando te haces responsable por la infelicidad de alguien más y deseas cambiarlo—, te convierte en víctima.

No regales tu poder; en cambio, ponte en contacto con él aceptando que eres el único responsable de tus emociones. Escoge emociones que te ayuden a obtener lo mejor para ti y para los demás. Aprende a sentirte seguro y a fijar límites. Esto te ayudará a mantenerte neutral y sin que te afecten quienes te rodean.

¿CÓMO DESHACERTE DEL MIEDO Y LA ANSIEDAD?

¿Cómo puedes curar el cuerpo si el miedo te atrapa? No puedes. Deshacerte del miedo significa tener el valor de aceptar su presencia y encontrar las formas de avanzar más allá del mimo. Debes darte el permiso de elegir estar libre de miedos y entonces actuar de forma que apoyes este permiso.

Aprender a eliminar el miedo requiere valor y diligencia. El valor es la fuerza que te permite moverte a través de situaciones, aun a pesar del miedo. La diligencia es la tenacidad para trabajar a través del miedo cada vez que aparece hasta que se va.

La forma más rápida y fácil para aliviar el miedo es hablar en voz alta. Enfrenta el miedo directamente, sonoramente, en lugar de hacer a un lado tus pensamientos. Háblale como si fuera una persona. Haz que el miedo sepa que lo ves y que no puede esconderse. Acéptalo. Después afirma que estás en control y que no vas a dejar que el miedo te domine. Date permiso de liberarlo. Entonces remplázalo con algo que quieras sentir que sea positivo o neutral.

Por ejemplo, veamos a una mujer que tiene miedo de manejar en la carretera. Mientras se acerca a la entrada de ésta su corazón late más rápido, le sudan las manos y le cuesta trabajo respirar; su miedo de sufrir un accidente sale a la superficie. Necesita respirar profundamente y decir en voz alta: "Te veo tratando de aprovecharte de mí, pero no te voy a dejar. Acepto que me da miedo la carretera. No voy a dejarte salir. Tengo el control. Me rehúso a darte mi poder. Me doy permiso de liberar este miedo. Tomo la decisión de pensar y sentir de forma diferente". Entonces respira profundamente y exhala todo el miedo a la atmósfera, diciéndote una y otra vez, en voz alta o en silencio: "Tengo confianza y estoy calmada mientras manejo en la carretera".

Enfrentar tus miedos en voz alta instantáneamente apaga el fuego que los alimenta. Esta técnica requiere práctica y convicción pero notarás los resultados. La determinación positiva seguida por acciones positivas y el aseguramiento del inseguro niño interno puede convertir las espirales negativas en resultados positivos. La clave es ser persistente para reprogramar tus pensamientos y sentimientos y seguir diciéndote que tú, no tus miedos, tienen el control. La visualización, la hipnosis y la técnica de libertad emocional son poderosas para eliminar los miedos permanentemente.

¿QUÉ QUIERES CREAR?

Cada uno de nosotros es un pintor y cada día usamos nuestra paleta para elegir añadir los colores y formas de nuestra vida y experiencias, o para quitárselos. Aunque no quieras la responsabilidad, tú controlas tus decisiones y acciones y eres el único que determina el tipo de minuto, hora, día, semana, y año que vas a vivir.

¿Qué cuadro quieres pintar? Cuando aceptas tu poder y reconoces que orquestaste cada día, puedes comenzar a pintar colores y formas que te hagan creer y sentir sano. Cuando te detienes a examinar cómo está creada tu realidad, puedes ver que todo se originó de un pensamiento, una fantasía o una convicción que fue seguida por una emoción y un acto. Tú pintas y creas tus pensamientos, humores y actos cada día. Tu subconsciente trabaja diligentemente para que te conviertas precisamente en la persona que inconscientemente has descrito. Habla en voz alta solamente las palabras positivas y llenas de energía, de apoyo para ti y los demás. Permite y energiza solamente los pensamientos positivos y creativos. Escoge sentimientos como la alegría, el amor y el entusiasmo y conviértelos en parte de tu experiencia diaria.

Cuando operas desde el amor y no desde el miedo, creas en vez de destruir. Así, si tu mente está llena de miedos y pensamientos negativos, puede parecer que está en tu contra, pero realmente no lo está. En lugar de eso, es solamente una prueba, una oportunidad para que surja y adoptes tu poder y puedas pintar el cuadro que tú quieras.

Vivir sin miedo es la libertad más grande que puedas experimentar. Sabrás que te has alejado de él cuando enfrentes esa vieja situación nuevamente y no esté cargada con las emociones. Eres neutral. Al mantenerte diligente en la práctica de estas herramientas y técnicas llegarás al otro lado con confianza. Confía y permítete tener éxito en la vida, libre de miedo, ansiedad y coraje.

CAPÍTULO 14

•

Tu ser espiritual

Pocas veces estamos conscientes de las creencias intangibles y obsoletas que gobiernan nuestras vidas. Por ejemplo, la creencia de que la "esclerosis múltiple es incurable" no es una ley grabada en piedra. Los mensajes negativos internos te mantienen prisionero en un cuerpo enfermo. Las enfermedades más serias se dan por negligencia o malas decisiones en el estilo de vida, pero puedes cambiar las convicciones y adquirir poder curativo al sentirte espiritualmente conectado a algo más grande que tú.

Reconocer tu ser espiritual implica asumir que éste también necesita alimentarse todos los días. Puedes hacer esto tomándote un tiempo en soledad y abrirte al poder intangible llamado Dios o Tao. Llevar un diario, rezar, meditar, cantar y afirmar son maneras de poder expandir tu yo espiritual. La vida ocupada y la necesidad de ganar el dinero suficiente para vivir pueden distraerte, pero no dejes que esas excusas te impidan usar las herramientas que pueden cambiar tu vida. Cada respiración que haces es la primera y la última; una oportunidad de tomar una decisión para mejorar. Entre más te conectes con tu espiritualidad, encontrarás más formas de disfrutar el viaje de la vida, viviéndola en el aquí y el ahora; y entre más te detengas, la meta se hará más inalcanzable.

TU SER SUPERIOR

Una conexión poderosa con Dios reside en cada uno de nosotros. Esta conexión se llama tu ser superior. El ser superior lo sabe todo porque contiene todas las respuestas y la guía que necesitas para avanzar. Es la corazonada o esa pequeña voz que escuchas e ignoras y que después dices: "Debí haberla escuchado". Es ese lugar dentro de ti que descubriste cuando sientes que algo está "correcto". Entre más te conectes con tu ser superior a través de la oración, las afirmaciones y la meditación, serás más capaz de usar tu máxima capacidad para curarte. A veces, lo único que se necesita para darle la vuelta a los problemas es pedirle ayuda a Dios y darte permiso para avanzar.

Para sintonizar con tu ser superior necesitas ser capaz de hacer a un lado tu ego y entrar en la neutralidad, en un lugar de honestidad y observación. Es fácil decirlo pero muy difícil de hacer. Es importante tomarse el tiempo cada día, desacelerando la mente. La meditación y la oración son maneras maravillosas para conectarse con tu ser superior ya que te desaceleras en ese espacio de la nada que te conecta con todo lo que es.

El ego es necesario pero muchas veces te ata a los juicios, la culpa y los miedos. Cuando estás conectado con tu ser superior, te separas del caos que te rodea y te vas a un espacio de claridad y sabiduría que te permite tomar mejores decisiones. Puedes dar un paso atrás de ti mismo para ver el macrocosmo de tus problemas y conectarte a ese reino donde no hay limitaciones y existen muchas opciones. Esta claridad, visión y poder pueden ser atemorizantes y quizá te resulte más fácil permanecer en las condiciones y los ambientes auto limitantes, pero tienes mucho más que ganar al tener el valor de avanzar en tu expansión espiritual.

Quizá la fuerza de Dios no sea tangible, pero siempre está ahí si crees en ella y la dejas entrar. La confianza es el ingrediente necesario para sentir ese poder.

CONFIANZA

La confianza es una fe intangible, indudable, en tus convicciones, ya sean sobre tu salud, las relaciones, el dinero u otro aspecto de tu vida.

Sin confianza, el miedo te puede gobernar y destruir ya que a lo que más le temes es a lo que creas. Ésta es la simple ley de la atracción. Vivir sin confianza genera ansiedad porque siempre estás esperando que caiga la siguiente calamidad.

La confianza —saber que hay algo más grande que tú que es positivo y que siempre te ayudará a seguir adelante— requiere práctica, especialmente en tiempos difíciles. Si la palabra confianza te genera resistencia, entonces cámbiala por compasión. La compasión es el terreno fértil para que crezca la confianza. Sé capaz de rendirte y aceptar cada parte de ti que detona compasión. Deja que la compasión te guíe en tu enfermedad, en las decisiones que te trajeron hasta aquí y en los pasos que debes dar para sobreponerte.

La confianza también mueve al cuestionamiento de las creencias ya que son la base de quién eres. Si no estás sano es indudable que tus sistemas de creencias están funcionando en tu contra y generan resistencia y desequilibrio. El siguiente paso es detenerte a cuestionar tus creencias.

CREENCIAS

Para lograr que tus creencias trabajen para ti debes tomar conciencia de ellas y cuestionar aquellas que sean limitantes.

Pregúntate qué es lo que crees acerca de tu salud, el dinero, tu estima, tu carrera, tus relaciones y otros aspectos de tu vida. Comienza a cuestionarlo todo, desde lo más mundano hasta si crees que tu cuerpo puede regenerarse a un nivel celular. Separa tus creencias hasta llegar al corazón. Pregúntate lo siguiente sobre cada creencia: ¿dónde se originó? ¿Por qué la mantengo? ¿Me sirve para algo? ¿Es productiva y positiva?

Este ejercicio puede parecer tedioso, pero es una herramienta vital para superar cualquier reto y transformar un cuerpo enfermo en uno sano. Sigue este proceso como una exploración de las profanidades de quien realmente eres (ver Cuarta Parte).

Como dije anteriormente, es tu interpretación del diagnóstico o de la enfermedad lo que te incapacita o te hace darle la vuelta. Por momentos encontrarás difícil creer que tienes tanto poder, pero lo tienes. Tienes el poder de cambiar tu realidad en cualquier momento. Si crees que la esclerosis múltiple te ha llegado debido a algo que está fuera de tu control, entonces no tendrás poder para vencerla. Pero si aceptas que es tu estilo de vida, hábitos, patrones y pensamientos lo que te ha llevado hasta este punto, entonces tendrás el poder de salir de la enfermedad y volver a estar sano.

El cuerpo es inherentemente inteligente y sabe exactamente qué hacer para cambiar y generar salud. La salud es la elección que tomas con tus actos para crear el ambiente que tu cuerpo necesita y funcionar de manera óptima. Puedes cuestionar la institución llamada "sociedad" y "familia" y aun así ser un ganador. No importa lo que nadie piense de ti. No tienes control sobre cómo te perciben los demás. Entonces, ¿para qué perder el tiempo tratando de quedar bien cuando estás sufriendo? Aprende a sintonizar con lo que confías y sientes. Camina a tu propio paso. Genera las nuevas convicciones correctas para ti y permítete vivir la felicidad de tu corazón.

¿CÓMO CAMBIAR TUS CONVICCIONES?

Puedes aprender cómo cambiar tus convicciones intelectualmente en unos cuantos segundos, pero sentirlo te toma tiempo. Es importante mantener tus nuevas convicciones en tu conciencia y apoyarlas todos los días. Se necesita perseverancia y valor para remover las estructuras con las que operabas en el pasado. Puedes encontrar que necesitas desprenderte de ambientes enfermos y de ciertas relaciones. La clave es honrar cada día lo que ahora sientes verdadero; pronto esa creencia se interiorizará en tus percepciones, pensamientos y sentimientos.

GRATITUD

Muchos pacientes con esclerosis múltiple sufren rabia y resistencia, pero cada enfermedad implica un proceso de aprendizaje. Si aceptas y sientes gratitud de cada experiencia, sea buena o mala, tu curación será más rápida.

La gratitud es el don más grande que puedes devolver a Dios. La gratitud es el agradecimiento de todo corazón por las lecciones, experiencias y éxitos. Preguntarás: "¿Por qué dar las gracias por la enfermedad?" La respuesta es simple. Si no fuera por esta experiencia no serías capaz de descubrir las verdades que te harán libre.

El punto es dar gracias y tomar una nueva decisión para estar sano. No tienes que quedarte en nada que no sea sano. Vivir una vida de gratitud y gracia es lo que llamo el camino quintaesencial del ser. La gracia significa actuar más allá de tu ego y la gratitud es estar presente con todo lo que tienes, aceptando lo que es y dejando ir el deseo de aquello que no tienes o que "necesitas" estar haciendo. Estar agradecido cada día es el camino más fácil para albergar más amor, salud y alegría en tu vida.

LAS DOS ORACIONES MÁS IMPORTANTES

Las dos oraciones más importantes que puedes decirle a Dios son: "No sé cómo... estoy dispuesto a ser guiado y que me muestres", y: "Gracias". Al rezarle a dios y decirle que no sabes cómo curarte logras muchas cosas. En primer lugar, aceptas lo que es. En segundo lugar, haces a un lado tu ego y te rindes. Y tercero, permites que algo más grande te guíe hacia personas, lugares y cosas que te pueden ayudar a mejorar. Este paso no te quita nada sino que te da más autoridad para moverte al asiento del conductor y permitir que nuevos caminos se abran para ti.

Dar gracias es ser agradecido con Dios y también afirmar que sabes con fe y confianza que aquello por lo que rezaste, ya llegó.

ALEGRÍA DEL ESPÍRITU

La espiritualidad no significa "pesado y serio". Por el contrario, es tu espíritu el que te recuerda que te conectes con tu niño interior, al que le gusta jugar y estar feliz. La alegría, la diversión y la risa nutren cada célula de tu cuerpo al liberar hormonas saludables que mejoran el funcionamiento de tu sistema inmune.

Aun en las peores crisis de salud puedes encontrar alegría y risa si las buscas. La risa conquista cualquier oscuridad y es una herramienta curativa muy poderosa, como lo demostró Norman Cousins cuando le dio la vuelta a una enfermedad que amenazaba su vida, con dosis diarias de películas de los hermanos Marx y la serie televisiva *Candid Camera*. La risa afecta positivamente tus células con la liberación de endorfinas. También te mantiene en contacto con el aquí y el ahora, que siempre es tu espacio de poder. Mi madre fue la comediante que me mantuvo riendo durante todo mi padecimiento.

Permite que el espíritu alegre que eres brille más cada día generando la convicción de que estás sano, viviendo el ahora y aceptando lo que es, y confiando en el poder de Dios para que te ayude a enfrentar tus retos. Tu ser superior, el elemento de conexión espiritual con Dios, es el hilo invisible que teje la magia en tu vida cada día si le pones atención y se lo permites.

CAPÍTULO 15

•

No debes ser perfecto

Para curar la esclerosis múltiple necesitas comprometerte con un tratamiento. Es un reto pero no tienes que hacerlo de manera perfecta. Encontrarás más fácil permanecer motivado e inspirado frente a tu miedo y resistencia si tienes en mente que siempre habrá espacio para mejorar, lo que para mí es ahora el verdadero significado de la perfección. Cambia tu convicción de: "Perfección significa que no soy tan bueno por lo que tengo que hacer todo perfecto para que me acepten y validen", a la siguiente: "Crecimiento y progreso para dar espacio a la mejoría".

Acepta que tu curación se dará a un ritmo adecuado para ti. Pon atención y reconoce los comportamientos, sentimientos y pensamientos de auto sabotaje y remplázalos por otros que te permitan ser tu mejor amigo: amor incondicional, autoestima, tolerancia y aceptación de tu individualidad.

AUTOESTIMA

Cuando pregunto a mis pacientes: "¿Sientes que vale la pena tu existencia?", normalmente contestan: "No". Algunas veces rompen en llanto cuando reconocen esta triste realidad. Si tu respuesta es ésa o: "No estoy seguro", estás enviando señales que te desequilibrarán en cuerpo y mente. Los sentimientos de minusvalía hacen imposible que transformes tu cuerpo y te cures.

Desafortunadamente, la mayoría de nosotros crecimos creyendo que nuestra estima depende de la aceptación de los demás, de cuánto dinero tenemos, si estamos sanos o no, de nuestras pertenencias. Sin embargo, la autoestima se basa en nuestra existencia intrínseca, no en lo que hacemos o tenemos en la vida. El hecho de que existes es la prueba de tu valor. Nada es más necesario. Si existes, vales, porque tu energía es parte del todo, parte de lo que es. Que tu contribución sea positiva o negativa está en tus manos porque depende de las decisiones que tomes, pero tu valor no está en cuestión. Es inherente debido a tu existencia.

Analízate, cuestiona tus convicciones y tu autoestima y reflexiona si son realmente válidas desde donde estás ahora. ¿Te mantienen con un permanente resentimiento contra ti o con una fuerte presión de tener éxito? Si es así, tienes la opción de dejar esas convicciones y cambiarlas. Adoptar mi valor basado en mi existencia me ha permitido tener paz, libertad y salud. Puede pasar lo mismo contigo (*ver* Figura 15.1).

Figura 15.1. El ABC de la transformación

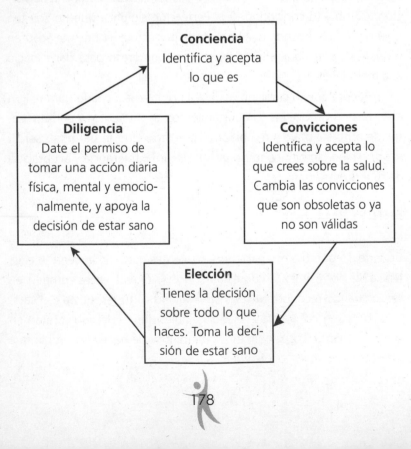

AUTOACEPTACIÓN Y AMOR INCONDICIONAL

Una vez que estableciste tu autoestima, puedes comenzar a abrir la puerta al amor incondicional. ¿Qué significa esto? Que te des permiso de aceptarte a todo nivel. Pocos hemos aprendido a tener autoaceptación total cuando crecemos. Aprender a operar desde un lugar de amor incondicional genera un sentimiento de libertad que te permite ser autocompasivo y con la capacidad de nutrirte cuando cometes errores. El amor incondicional es la forma más poderosa de restaurar cualquier división entre el cuerpo y la mente.

Desafortunadamente, casi todos tenemos una mala relación con nosotros mismos porque somos producto de un condicionamiento negativo. Hemos sido programados con mensajes y convicciones almacenados profundamente en el subconsciente y que nos dicen que no somos tan buenos, que fallamos o que "deberíamos haber" o "podríamos haber" hecho tal o cual cosa. Si tratas tu cuerpo como un perro que aprende solamente cuando se le pega, éste responderá generando más toxinas y apagándose.

Si no has dejado de cuestionarte con estos mensajes negativos, todavía los estás manejando en tu vida adulta. El resultado final es que eres extremadamente autocrítico, llevas viejas cargas y te convertirás en tu peor enemigo al buscar validación y aceptación a través de una enfermedad. Esta falta de amor incondicional te derrota profundamente en la autoestima. En este punto has perdido el contacto con tu verdadera esencia, esta parte de ti que te ama sin importar lo que estés viviendo, la parte de ti que es tu mayor admirador y que te dice que puedes hacer cualquier cosa que desees. En lugar de eso, te quedas atrapado en la negatividad y en la duda.

El hecho es el siguiente: no necesitas a nadie para probarte.

Aprender a tratarte como tu mejor amigo es un importante ingrediente para la transformación. Esto puede sonar cursi pero no lo es. Piensa cómo te tratas comparado a cómo tratas a tu mejor amigo. Te guste o no, tienes una relación contigo mismo. La relación puede ser positiva o negativa... tú decides.

La autoaceptación genera la apertura para que algo nuevo surja dentro de ti. El primer paso es aceptar quién eres ahora, con compasión, y hacer a un lado las convicciones limitantes y los juicios que has hecho de ti mismo. Aceptar todos los acontecimientos del pasado y saber que no existe el fracaso, solamente experiencia, te hará libre. Reconoce que las situaciones negativas y traumáticas pueden ser elementos de construcción para un futuro más positivo, si lo permites.

Esto no significa que necesitas ignorar la intención o la integridad cuando actúas. Más bien significa dejarte de pegar y de cargar con culpas inútiles y que estés consciente de lo poderoso que eres cuando tomas decisiones sabias basado en lo que has aprendido de experiencias anteriores. Un sentimiento maravilloso de libertad se hará tuyo al aceptarte hoy, con todos tus problemas y tu lado oscuro. La autoaceptación elimina todas las cargas.

De la aceptación te puedes mover al lugar de la elección. Toma decisiones conscientes para apoyar tu compromiso de amarte incondicionalmente.

El objetivo es convertirte en tu propio entrenador y apoyarte en las buenas y en las malas. El camino más rápido para hacer este cambio se logra al expresar afirmaciones y al momento de detectar y reemplazar tus pensamientos de derrota. Cuando afirmas por ejemplo: "Me amo y acepto a mi cuerpo incondicionalmente", o bien: "Yo valgo".

Háblate en voz alta a ti mismo frente al espejo y repite estas afirmaciones todos los días muchas veces. Expresa las afirmaciones con convicción sintiéndolas resonar en tu plexo solar, en el centro de tu abdomen. Pronto notarás un cambio en tu autoestima y confianza.

También pon atención a tus pensamientos derrotistas y detéctalos en acción. Cuando cometes un error, observa tus pensamientos y ve si estás usando un diálogo autocrítico. Si es así, acepta y reconoce estos pensamientos y di: "Alto, no me voy a enganchar en esto. Estoy cansado de este juego. Ahora, váyanse a jugar a otro lado".

Entonces remplaza estos pensamientos con otros positivos o neutrales. Reprograma tus pensamientos para que te apoyen. Quieres llegar al punto donde normalmente piensas: "Puedo hacerlo, creo en mí". Esta técnica es sencilla y efectiva cuando se repite. Remplazar y llenar de energía positiva los pensamientos genera una nueva realidad.

INDIVIDUALIDAD

A veces la enfermedad es un muro detrás del cual te puedes esconder porque sientes que no eres tan bueno y no quieres aceptar el valor de tu individualidad. Cada uno de nosotros es un individuo con habilidades, dones y contribuciones para compartir con el resto del mundo. Cuando aceptas tu individualidad, te liberas de la trampa de la enfermedad. Todos tenemos un objetivo en el mundo. Cada individuo tiene una chispa luminosa que lo hace único y poderoso.

Construir una relación positiva contigo mismo aumenta tu autoestima y confianza. Entre más desarrolles tu relación contigo, te harás más poderoso para crear la realidad que te dé alegría, paz, salud y abundancia. Darte autoridad a ti mismo es tu verdad inherente que permite a tu espíritu remontarse sin juicio, paredes, miedos o barreras. Al alcanzar y tomar tu poder puedes atestiguar cómo el cuerpo vence a una enfermedad incurable y genera éxitos en cada área de tu vida.

Para cosechar estos beneficios, necesitas cultivar la relación contigo mismo siendo paciente y siguiendo diligentemente convicciones, pensamientos y actos benéficos para ti. No puedes divorciarte de ti; entonces, ¿por qué no hacer el viaje más enriquecedor y poderoso, convirtiéndote en tu mejor amigo, lleno de compasión, tolerancia, cortesía, entendimiento, paciencia y amor incondicional?

VALOR Y TENACIDAD

La esclerosis múltiple es un padecimiento muy difícil, pero busca la valentía y la diligencia para seguir con un régimen y confiar en que vas a mejorar todos los días. Comprometerte contigo mismo no significa vigilar y juzgarte, sino tener un plan de juego y hacer lo mejor que puedas para seguirlo.

VIVE EL MOMENTO

Vivir el momento ahora es esencial para estar motivado. El pasado se fue; entonces, concentrarte en lo que hubieras podido hacer solamente te va a hacer sentir mal. Los pensamientos angustiantes sobre el futuro te pueden paralizar. El momento es tu lugar de poder. ¡Quédate ahí! Enuncia lo siguiente: "Hoy soy más fuerte. Hoy voy a tomar mejores decisiones alimenticias. Hoy voy a tener más compasión sobre mi padecimiento y sobre mí. ¡Hoy estoy sano!"

NO TE RINDAS

Trata de leer este capítulo una y otra vez cuando te sientas descorazonado y quieras tirar la toalla. No te rindas. Las altas y bajas son esperables. Aprende a subirte a las olas, que son comunes cuando reviertes la esclerosis múltiple. Tu sistema nervioso central toma más tiempo de curación que cualquier otro en tu cuerpo. Espera días buenos y malos. Darte cuenta de que puedes estar bien puede suceder en un momento, pero tu cuerpo tiene memoria residual y cambia más lentamente. La memoria celular está dispuesta a aprender pero a veces actúa como una mula necia. Si estás consciente de esto, tendrás la fuerza para seguir tu programa y no rendirte al pensar que no funciona. Sé paciente y confía.

No tienes que ser perfecto para curar tu cuerpo. Necesitas ser tenaz y diligente, pero los días que no quieras comer lo debido o no tengas la energía para hacer ejercicio, no lo hagas. Estar comprometido contigo significa aceptar cada parte del viaje. El autosabotaje es una salida fácil para la mayoría de nosotros y decimos entonces que el programa no funciona. El punto es que puedes experimentar momentos de autosabotaje cuando no comes sanamente, tomas tus suplementos o te dejas caer de otras formas, por lo que debes de estar dispuesto a amarte aun en esos momentos y regresar al programa. Cada pequeño paso equivale a un éxito porque te acerca más al objetivo.

CAPÍTULO 16

•

Historias de pacientes

Las siguientes son historias de pacientes con esclerosis múltiple en los que ya se han remitido o revertido sus efectos. Ha sido un honor para mí el haberlos podido ayudar y ser testigo de la valentía, la diligencia y el crecimiento que mostraron cada uno de ellos.

LEANNE

Antecedentes: Varicela, infecciones de oídos frecuentes y resfriados, mononucleosis a los quince años, largos períodos de estrés, alta ingestión de azúcar.
Síntomas en la visita: Manos y pies fríos, insensibilidad y hormigueo, hipoglucemia, deseo de comer dulces, comezón en la piel y en los pies, distensión abdominal y gas, ansiedad, sed frecuente, depresión.
Fármacos tomados para la esclerosis múltiple: Avonex y esteroides.
Antibióticos: Sesenta rondas en su vida.

Fui a la universidad en Boston, ubicada a unos 150 kilómetros de donde crecí. Me gradué en Negocios y Gerencia Musical y después me mudé a Los Ángeles, donde tuve el trabajo de mis sueños en la compañía *Virgin Records* en el departamento de arte. Era un mundo de mucho estrés y alta velocidad de trabajo y fiestas, y fiestas y trabajo.

Sin embargo todo mi mundo se transformó el 14 de febrero de 2000, en el día de San Valentín. Bueno, en realidad en enero cuando mis piernas empezaron a adormecerse. Mi doctora me dijo que me había pellizcado un nervio y me recetó antiinflamatorios.

Cuando la llamé para decirle que seguía con la insensibilidad me dijo que estaba sobre reaccionando y que necesitaba darle más tiempo. Hice exactamente eso una semana más.

El domingo del Súper Bowl de ese año, mi brazo derecho y el lado derecho de mi cara se insensibilizaron. En ese momento la doctora decidió hacerme algunos análisis. Me envió con un neurólogo para un estudio de conducción nerviosa. Salí normal. Comencé a sentir pánico. Me frustraba no tener ningún médico que al menos reconociera que algo estaba sucediendo en mi cuerpo. ¡No podía ser una invención!

Entonces un día perdí el campo visual mientras manejaba hacia el trabajo. Mi asistente tuvo que ir a recogerme. Me llevó de vuelta con la doctora y finalmente fui por una tomografía. Cuando llegaron los resultados el neurólogo me sentó y me dijo que tenía esclerosis múltiple: "Lo vas a tener el resto de tu vida. Lo mejor es que empieces con los medicamentos inmediatamente". *Wow*, eso estuvo duro cuando justo un mes antes había sido una mujer saludable de veinticinco años. Inmediatamente comencé con el goteo de los esteroides diarios. Una enfermera vino a mi casa y me conectó al goteo. Perdí 5 kilos de peso (siempre tuve problemas para mantenerlo) y no podía dormir, pero tampoco podía estar en el trabajo durante ocho horas. Mi cuerpo era un desastre.

Afortunadamente, me enteré de que alguien de mi oficina había trabajado con una mujer que había tenido esclerosis múltiple y que ahora tenía un consultorio en el que atendía gente que sufría diferentes enfermedades. Esa persona era Ann. La llamé y me dio una cita en dos días. Pasé una hora y media con Ann y fue cuando finalmente encontré a alguien que me ayudó a entender mi enfermedad y me hizo intentar derrotarla.

Nunca fui una persona que tomara el camino fácil y éste no lo era. Tenía muchos asuntos emocionales que resolver. Mi dieta era horrible y era físicamente una bola de estrés. Afortunadamente, tres o cuatro meses antes había terminado con un problema con la bebida.

Tampoco era fácil convencer a mi familia de que el tratamiento que Ann me recomendaba era el más adecuado. Yo vivía a cinco mil kilómetros de mi casa, por lo que llamar a mi madre para decirle que iba a dejar el tratamiento para seguir una ruta holística, no era cosa fácil. Afortunadamente, mi familia siempre fue muy abierta conmigo sobre mis decisiones, una vez que sabían que las había reflexionado bien.

Después de detener el tratamiento con esteroides sin comenzar con los medicamentos, tomé las sugerencias de Ann sobre nutrición y suplementos y las puse en práctica. Mi nivel de energía regresó y comencé a sentir que mi yo saludable regresaba. El sentimiento regresó lentamente a mi cuerpo. Mi equilibrio regresó y mi vista volvió a ser normal. También comencé a sentir confianza en mi decisión. Solamente cambiando mi dieta y dándome cuenta qué era lo que pasaba con mi cuerpo, me di cuenta que me podía curar de la enfermedad.

También comencé a trabajar con Ann sobre situaciones emocionales que estaban deteniendo mi curación. Después de algo de trabajo —y sí, fue mucho trabajo—, fui capaz de abandonar el bagaje emocional que había estado cargando durante años. Tenía muchos miedos e inseguridades que se sumaban a lidiar con esta terrible enfermedad. Viví tratando de complacer a todo mundo y al diagnosticarme esclerosis múltiple recibí mi llamada de atención: era tiempo de cuidarme.

Ann fue fundamental en enseñarme cómo hacerlo y también un fantástico apoyo cuando tuve recaídas. Con Ann nunca fue "tienes que hacer esto". Siempre es "cuando sea el momento correcto, verás que esto es lo que necesitas hacer". Me hizo sentir más cómoda durante los momentos difíciles.

A sugerencia suya comencé a hacer yoga; estoy a punto de obtener mi tercer certificado de maestra. Quiero empezar a trabajar con otras personas con esclerosis múltiple. Ann me ha dado tanto que lo menos que puedo hacer es transmitir el conocimiento y apoyo que me ha brindado a lo largo de los años.

Resultado: Leanne está libre de síntomas y no ha vuelto a tener ataques. No toma medicamentos para la esclerosis múltiple.

ASHER

> Antecedentes: Varicela, neumonía, niñez estresada, deseos de azúcar y carbohidratos.
> Síntomas en la visita: Fatiga, pérdida de la libido, adormecimiento, hormigueo, debilidad muscular y parálisis, constipación, manos y pies fríos, dolores de cabeza, frecuencia urinaria e incontinencia, lenguaje farfullante, dificultad para caminar.
> Fármacos tomados para la esclerosis múltiple: Interferon, esteroides.
> Antibióticos: Veinticinco rondas en su vida.

Entré al consultorio de Ann aterrorizado y desesperado. Unas cuantas semanas antes me habían diagnosticado esclerosis múltiple después de mi primer ataque de visión doble, adormecimiento y hormigueo a los cuarenta años.

El doctor ni siquiera me miró a los ojos cuando me dijo que la esclerosis múltiple era una enfermedad crónica y que tal como iban las cosas podía necesitar una silla de ruedas durante tres o cuatro años seguidos. También dijo que lo único que podía hacer por mí era darme corticoesteroides e Interferon. Desde ese momento las cosas se deterioraron rápidamente. Me sentía fatigado, mi vista y habla se afectaron, tenía adormecidas las puntas de los dedos de mi mano izquierda y caminar más de cien yardas era imposible.

Mi primera visita con Ann fue una historia muy diferente. Se tomó el tiempo de entender la raíz del problema. Estaba genuinamente interesada en mí y siempre fue compasiva y al mismo tiempo directa.

Tres años después las cosas eran muy diferentes. De ser un adicto al Interferon y a los esteroides, regresé a una vida productiva y vital. Me levantaba todos los días contento y agradecido de estar vivo. La combinación de los nuevos hábitos de alimentación, los suplementos, la natación y la transformación de los viejos comportamientos y hábitos emocionales me pusieron de pie.

A través del entrenamiento con Ann entendí que no hay tal enfermedad crónica. Solamente hábitos crónicos.

Claro que hubo momentos en mi camino que me sentí desesperado y pensé: "Las cosas no volverán a ser iguales". Después de varios días de fatiga, me di cuenta de que una parte de mí no confiaba que me curaría. "No entres en pánico", me dijo Ann. "El cuerpo seguirá haciendo ajustes." Y eso pasó.

Mientras seguí haciendo lo que Ann recomendaba, mantuve un progreso lento pero firme. Hasta mis gustos cambiaron y perdí seis kilos, mi piel se transformó, nunca me da gripa. La gente me sigue diciendo que me veo muy bien; voy muy bien. Estoy optimista, calmado, feliz y sé que la enfermedad no va a regresar. Veo el daño que la esclerosis múltiple me dejó y no es más que una cicatriz, sin una herida abierta. ¿Y los viejos hábitos? Nunca podría regresar a ellos.

No puedo encontrar las palabras adecuadas para expresar mi gratitud por lo que Ann ha hecho por mí. Me ayudó a alcanzar la victoria sobre el pasado, haciéndome entender que las emociones negativas fueron las que me dañaron. Me enamoré otra vez de la vida y de mi esposa. Aprendí a amarme y sigo muy agradecido o con Ann, por sus consejos y guía.

Resultado: Asher entro en mi programa y mejoró muchísimo en poco tiempo. Todos sus síntomas desaparecieron y está en remisión. Asher no toma medicamentos para la esclerosis múltiple.

HEIDI

Antecedentes: Varicela, deseos de azúcar, altos períodos de estrés, períodos de alcohol y drogas, fumó diez años. Síntomas en la visita: Fatiga debilitante, falta de aliento, constipación, depresión, intolerancia a los alimentos, dolores de cabeza, insomnio, visión borrosa, dolor de oídos, acné, náusea, distensión abdominal, gases, mala

memoria y concentración, falta de coordinación,
variaciones de humor, dificultades del habla, adormeci-
miento y hormigueo, síndrome premenstrual, mareo.
Fármacos tomados para la esclerosis múltiple:
Avonex (mala reacción).
Antibióticos: Veinticinco rondas en su vida.

Acudí a la Interlochen Arts Academy, donde fui clarinetista co-
principal, y pasé dos veranos en la primera silla de la World Youth Sym-
phony Orchestra. Practicaba cinco horas diarias y pasaba cinco horas
más en ensayos. Comía, dormía y respiraba música. Mis profesores me
decían que yo tocaría en una orquesta sinfónica, era cuestión de tiempo. Mientras estaba en la universidad tuve muchas sesiones pagadas
tocando con músicos de estudio locales y en orquestas juveniles tanto
locales como profesionales. Después de que me recibí, viajé a Alemania donde me gané una beca para estudiar música durante un año.
Al regreso, comencé a trabajar en mi maestría. Fue entonces cuando
empezó el problema.

En 1991, cuando tenía veinticuatro años, comencé a experimentar síntomas que cualquier músico hubiera visto como muy atemorizantes. De la nada perdí movilidad; era incapaz de controlar mis
dedos. Se me caía el clarinete varias veces. Entré en pánico. Fui inmediatamente a ver al doctor y me mandó con un especialista. El
neurólogo me hizo muchos estudios y pinchó mis dedos, pero al final
decía que no tenía nada y que me estaba imaginando la debilidad que
sentía. Yo estaba furiosa. Traté con otros médicos pero no encontré
respuesta. Después de un tiempo no podía tocar en todo mi potencial
y dejé la escuela.

En algún momento en medio de todo esto conocí a mi primer
marido, me casé y tuve un hijo. Todo fue muy rápido pero yo estaba
perdida sin poder tocar mi instrumento y bastante confundida. Fue un
matrimonio terrible con un hombre alcohólico que me maltrataba. Pasé
mis días trabajando largas horas en un negocio de preparación musical.
Para empeorar las cosas, después de que tuve el valor de dejarlo, entré
en otra relación con otro alcohólico. Me imaginaba que iba en la direc-

ción adecuada porque al menos era una persona pacífica. Aun así, nada bueno vino de esto, excepto mi preciosa hija. Mi ex marido tenía deudas que yo no conocía hasta que vino el divorcio y después de gastar todo mi dinero en pagarlas terminé en bancarrota junto con él.

En mayo de 1995, finalmente renuncié a hacer las cosas de esa manera. Decidí dejarlo todo y que el universo me guiara. Antes de que toda esta negatividad comenzara, había sido una persona muy sensible e intuitiva y sentía que necesitaba recuperar esas cualidades. Me mudé a casa de mis padres, regresé a la escuela, me recibí de contador (con mención honorífica) y pasé el examen de certificación al primer intento. Para ganar dinero daba clases de clarinete.

Para realizar dicha transformación tuve que darme cuenta de que nadie me controlaba, especialmente mi ex marido, quien me dijo que nunca me certificaría. Era inteligente, motivada, pero realmente necesitaba trabajar en mi autoestima.

En marzo de 2000 logré pagar mi propia casa. Pagué en efectivo un teléfono celular y luchaba por ahorrar dinero para una verdadera casa, algún día. Me había puesto en marcha y acepté que no tocaría mi instrumento a la altura que había deseado. Mis hijos estaban felices y yo era feliz, aunque estaba muy cansada. Trabajar de tiempo completo como madre soltera me estaba agotando. Me acostaba muy temprano y dormía mucho los fines de semana.

Entonces, en septiembre de 2000 tuve un ataque grave. Ya no era solamente la incapacidad de mover mis dedos. Afectaba a mis pies, mis manos y partes de mi estómago y espalda. Después de mi experiencia de 1991, estaba harta de la medicina occidental y fui a ver al quiropráctico de un amigo que se inclinaba por los tratamientos holísticos. Me hizo algunos estudios musculares e inmediatamente me dijo que creía que era esclerosis múltiple. ¡Me sentí liberada! Había estado pensando que era un tumor cerebral. ¡Vaya! ¡Finalmente una respuesta!

Mis amigos me alentaron a obtener la opinión de un médico, por lo que fui a hacerme algunos análisis. La resonancia magnética reveló daños en mi cuello y cerebro. El especialista confirmó el diagnóstico y me dijo que no había cura, pero que me daría medicina que des aceleraría la progresión. Yo acepté tomarla y empecé a inyectarme en el muslo una vez a la semana. Sin embargo, odiaba las jeringas y los efectos colaterales eran peores de lo que había imaginado. Cada vez que tomaba la medicina me sentía como si tuviera gripa durante tres o cuatro días. Mi calidad de vida se deterioraba rápidamente. Antes del diagnóstico era bastante atlética y había estado entrenando para subir el monte Whitney. El especialista me dijo que no me esforzara y que dejara de entrenar. Deprimida y sintiéndome fatal comencé a subir de peso.

Una vez más busqué una fuente distinta de ayuda. Me gustaba mucho el trabajo de Wayne Dyer y comencé a intentar hacer sus meditaciones para manifestarse. Me visualicé feliz y sana y de esa manera buscaba encontrar algunas respuestas. Una vez que me involucré con la meditación me comenzaron a suceder cosas interesantes. A través de una serie de coincidencias (yo no creo en esas cosas), leí sobre Ann Boroch y cómo se había curado de la esclerosis múltiple.

No tenía duda de que estaba en el camino correcto. Cuando sabes, sabes. Ann me puso en una dieta radicalmente diferente con un régimen de vitaminas y las cosas comenzaron a cambiar. Durante los siguientes meses bajé de talla dieciséis a talla ocho. Mi energía surgió. Podía pensar con más claridad. No podía mantenerme quieta. Siempre fui muy decidida, con gran fuerza de voluntad, pero sabía que no había nada que no pudiera hacer.

También trabajé con gente increíble del Yonemoto Physical Therapy. Sus métodos usan terapia manual integral y proceso facial neural, que alienta a tu cuerpo a curarse.

Mantener una actitud optimista, hablar positivamente y meditar con regularidad me ayudaron a atraer a la gente más increíble de mi vida. Cuando estás en sintonía con el universo, la vida es mucho más fácil… Cosas mágicas pasan todo el tiempo. Ahora estoy casada con un hombre maravilloso que va a adoptar a mis hijos. Me he mudado a otro estado donde el costo de vida me permite ser una mamá que se queda en casa. La vida es muy, muy buena.

Resultado: Heidi ha estado libre de ataques durante tres años. No tiene síntomas excepto por un leve hormigueo en la

punta de sus dedos cuando hace calor. No toma medicamentos para la esclerosis múltiple.

JAMI

> Antecedentes: Remoción de las amalgamas de mercurio, deseo de pan y azúcar.
> Síntomas en la visita: Fatiga, insomnio, estrés, depresión, alergias y problemas de senos paranasales, problemas para caminar.
> Fármacos utilizados para la esclerosis múltiple: Copaxone, Avonex, esteroldes, Decadron, Acthar.
> Antibióticos: Cinco a siete rondas en su vida.

Cuando tenía catorce años perdí la vista por un tiempo. Comenzó con visión doble y luego mi vista se hizo negra. Esto desapareció al cabo de unos días. Un día, después de algunos meses de que esto sucedió, había regresado a mi casa para irme a la clase de ballet y cuando me estaba poniendo mis mallas, mis piernas se desplomaron. Traté de levantarme y pasó lo mismo. Mi mamá llamó a un amigo que era doctor y me internó inmediatamente. Me realizó un análisis de sangre y de médula espinal. Los resultados lo llevaron a sospechar que tenía esclerosis múltiple. Tenía quince años y estaba paralizada de la cintura para abajo. Pero mejoré en dos semanas y me dieron de alta.

Un mes después desperté y no tenía movilidad del cuello hacia abajo. No sentía nada. El amigo de mi mamá envió una carta a Gerard Lehrer, un doctor del hospital Mount Sinai que está en Nueva York, y que investigaba la esclerosis múltiple. Hicieron toda clase de estudios conmigo, pero fue la prueba de la tina caliente (calienta la capa interna de tu cuerpo) que confirmó sus sospechas. Ahí estaba, totalmente paralizada del cuello hacia abajo. Había sido elegida capitán del equipo de porristas ese año y había comenzado una carrera como bailarina en Nueva York.

Lehrere confirmó el diagnóstico y comenzó el tratamiento que había desarrollado. En primer lugar, me dieron punciones lumbares y me inyectaron el medicamento en la espina dorsal. Tuve que acostarme de lado durante diez minutos y luego permanecer boca arriba durante el resto de la noche. Durante cinco años me aplicaron trece inyecciones. Se volvieron fáciles de tolerar, además de que me devolvían la capacidad de caminar. Además tomé Prednisona, Decadron y Acthar intermitentemente. Cuando me mudé a California comencé a dejar los medicamentos.

Estuve sin medicamentos durante diez años hasta que conocí a un médico que estaba en Cedars Sinai quien eventualmente me dio Copaxone. Me fue bien, con excepción de la angustia que me daba inyectarme, hasta que una noche me mareé y me sentí cansada después de la inyección. Traté de regresar a la cama pero nunca pude. Perdí el conocimiento y cuando llegaron los paramédicos no tenía signos vitales. Mi corazón había dejado de latir y casi muero. No necesito decir que mi doctor me indicó que debía dejar de tomar el medicamento.

Me sugirió que intentara con Avonex. Odiaba inyectarme hasta que ya no pude hacerlo. Pensé que quizá había desarrollado algún tipo de fobia, por lo que mi novio lo tenía que hacer por mí. Una vez más le tuve que decir al médico que no podía vivir dos días mal de cada semana debido a los medicamentos, por lo que dejé de tomarlos. Fue en ese momento que comencé a ver a Ann.

Resultado: Jami inició mi programa y no ha tenido más ataques. No tiene síntomas con excepción de hormigueo en la punta de sus dedos cuando hace mucho calor. No toma medicamentos para la esclerosis múltiple.

TERRI

Antecedentes: Varicela, caso severo de mononucleosis, deseo de pan y sal, diagnosticada con esclerosis múltiple a los veinticuatro años, cuatro ataques por año, durante dos años fue cuadriplégica y estuvo ciega un tiempo.
Síntomas en la visita: Silla de ruedas durante dos años, incontinencia urinaria, falta de coordinación, mareo, visión

errática, ansiedad y depresión, insensibilidad, hormigueo,
constipación, distensión abdominal, manos y pies fríos, fatiga.
Fármacos para la esclerosis múltiple: quimioterapia (que le
indujo la menopausia), Avonex, Trileptal, Bacoflen, Ditropan,
Zoloft, esteroides mensualmente.
Antibióticos: Diez rondas en su vida, además de dosis diarias durante un año para controlar infecciones en vías urinarias
después del diagnóstico de esclerosis múltiple.

Cuando Terri vino a verme en octubre de 2003 tenía treinta y dos
años y estaba en silla de ruedas. Cambió su dieta y comenzó a desintoxicar su cuerpo tomando antimicóticos herbales y después Nistatina
con otros suplementos y hierbas para regenerar su cuerpo. Siguió con
esteroides mensuales, pero paulatinamente empezó a dejarlos.

Resultado: A finales de diciembre de 2003, Terri comenzó a
caminar paulatinamente con el uso de una andadera y un bas-
tón. Sigue mejorando; para mediados de 2004 dejó la silla de
ruedas completamente y camina por sí sola. Ya no toma esteroides, ni Zoloft, Trileptal, ni Baclofen. Continúa con Avonex.

KAREN

Antecedentes: Paciente de esclerosis múltiple que
compró mi primer pequeño libro de autoayuda
llamado *Cómo curar la esclerosis múltiple* y quien
frecuentemente mantenía correspondencia conmigo.

"Ha pasado mucho tiempo desde la última vez que tuvimos correspondencia por correo electrónico. Sin embargo, estoy segura de que
te gustaría volver a oír buenas historias. Me acaban de diagnosticar
esclerosis múltiple benigna. No tengo síntomas desde hace cinco años.
Antes de eso, me encontraba mal con neuritis óptica, mareo, falta de
equilibrio, insensibilidad y temblores.

Yo atribuyo esta mejoría principalmente a tu libro. Quería que
lo supieras y también que he mandado a mucha gente a tu sitio de

internet. También soy una apasionada por compartir mi investigación sobre la cándida como causa de la esclerosis múltiple. ¡Es la clave!

Estoy muy agradecida contigo por escribirme y compartir esta información. Muchas gracias".

CAPÍTULO 17

•

Conclusión

¿DÓNDE ESTÁ LA CURA?

¿Por qué parece tan poco razonable pensar en una cura para la esclerosis múltiple? Tal vez porque las instituciones médicas nos han lavado el cerebro para creer que no es posible.

La definición del diccionario para cura es: "Recuperar la salud, tratamiento con la intención de aliviar o remover la enfermedad o cualquier padecimiento". El *Merriam Webster's Collegiate Dictionary* (undécima edición) dice: "Una completa o permanente solución o remedio". La cura sucede en los individuos. Yo soy una de ellos. Hay cura en el mundo para la esclerosis múltiple, el cáncer y hasta el SIDA, pero no escuchamos sobre esto porque las curas provocarían el cierre de las farmacéuticas. Actualmente, en nuestro país, a pesar de toda la tecnología y educación, la codicia es más importante que la salud. Por eso somos una de las naciones más enfermas del mundo.

Cuando se trata de ponerse bien hay muchos enfoques y métodos qué escoger. Una cura para la esclerosis múltiple, o para cualquier enfermedad crónica, no viene en una pastilla o una hierba. Es una combinación de protocolos que le dan la vuelta al cuerpo. Explora todas las opciones e infórmate. Date cuenta que hay muchos factores para curarte y confía que lo que sientes es lo correcto y el mejor tratamiento para ti. Eso no significa ignorar o divorciarte de la medicina occidental. Significa que tienes que discernir y no comprar la palabra incurable. Sólo será así si la adoptas mental y emocionalmente.

EL SECRETO GANADOR

El secreto para cambiar la función cerebral de tu cuerpo reside en lo que crees. Esas creencias envían mensajes a tu sistema nervioso central, que dicta cada proceso de tu cuerpo. Por lo tanto, elige la salud. Entonces manifiesta esa creencia con convicción y ponla en cada pensamiento, sentimiento y acto. Pronto tu cuerpo reflejará esa imagen.

NOTAS

[27] John Parks Trowbridge y Morton Walter, *The Yeast Syndrome*, Bantam Books, Nueva York, Nueva York, 1986.

[28] C. Orian Truss, The Missing Diagnosis, *The Missing Diagnosis*, Birmingham, EU, 1985.

[29] John Parks Trowbridge y Morton Walter, *op. cit.*

[30] *Ibid.*

[31] *Ibid.*

[32] G. Wolswijk, "Chronic Stage Multiple Sclerosis Lesions Contain a Relatively Quiescent Population of Oigodendrocyte Precursor Cell", en *Journal of Neuroscience*, núm. 18, 1998, pp. 601-609.18.

[33] J. Noseworthy *et al.*, "Multiple Sclerosis", en *New England Journal of Medicine*, vol. 343, núm. 13, 2000, pp. 938-952.

[34] David Perlmutter, Brain Recovery.com: *The Powerful Therapy for Challenging Brain Disorders*, Perlmutter Health Center, Naples, EU, 2000.

[35] F. Barmanghelidj, *Your Body's Many Cries for Water*, Global Health Solutions, Falls Church, EU, 1995.

CUARTA PARTE
TU PLAN DE TRATAMIENTO

- Cuestionario de la salud de la cándida
- Alimentos que debes comer
- Alimentos que debes evitar
- Reconstrucción nutricional en cinco semanas
- Ideas de platillos para la dieta de la cándida
- Menús de muestra para dos semanas
- Recetas
- Alternativas al trigo
- Impulsores de energía
- Lista de revisión del medio ambiente
- Liberadores de estrés
- Técnicas de respiración
- Ejercicios de fortalecimiento
- Controladores del miedo
- Muestra de afirmaciones
- Cuestionar creencias obsoletas
- Tabla de progreso semanal

Cuestionario de salud de la cándida[36]

Este cuestionario te ayudará a ti y a tu terapeuta a evaluar cuánto contribuye la *Candida albicans* a tus problemas de salud, pero no te dará una respuesta automática. Una historia clínica completa y un examen físico son importantes. Los estudios de laboratorio y otros tipos de pruebas pueden ser adecuados.

El cuestionario enlista los factores en tu historia médica que promueven el crecimiento de la *Candida albicans* (Sección A) así como los síntomas que se encuentran comúnmente en individuos con enfermedades relacionadas con el fermento (Secciones B y C). Para cada "sí" de la Sección A, encierra en un círculo los puntos en esa sección. Luego pasa a las secciones B y C y asigna la puntuación como se indica.

Sección A: Historia	Puntos
1. ¿Has tomado tetraciclinas (Sumicin, Panmycin, Vibramycin, Minocin, etcétera) u otros antibióticos para el acné durante un mes o más?	50
2. ¿Has tomado en algún momento de tu vida otros antibióticos para infecciones respiratorias, urinarias o de otro tipo durante dos meses o más, o por períodos más cortos cuatro o más veces en un año?	50
3. ¿Has tomado antibióticos, aunque sea una ronda?	6
4. ¿En algún momento de tu vida te has visto afectado por prostatitis, vaginitis u otros problemas de los órganos reproductivos de forma persistente?	25

5. ¿Has estado embarazada dos o más veces?   5
¿Una vez?   3
6. ¿Has tomado anticonceptivos durante más de dos años?   15
¿De 6 meses a 2 años?   8
7. ¿Has tomado Prednisona, Decadron u otros medicamentos con cor-   15
tisona por vía oral o por inhalación durante más de dos semanas?*
8. ¿La exposición a perfumes, insecticidas, olores de tiendas de telas   15
u otros químicos te provocan síntomas severos a moderados?
9. ¿Empeoran tus síntomas con la humedad, los días lluviosos o   20
en lugares con polvo?
10. ¿Has tenido pie de atleta, tiña u otras infecciones micóticas   20
en las uñas o en la piel?
11. ¿Deseas comer azúcar?   10
12. ¿Deseas comer pan?   10
13. ¿Deseas bebidas alcohólicas?   10
14. ¿El humo del tabaco te molesta mucho?   10

Total de la Sección A   ___

*El uso de aerosoles nasales o bronquiales que contienen cortisona y/u otros esteroides promueve el sobre crecimiento en el tracto respiratorio.

Sección B: Síntomas mayores

Para cada síntoma que tengas, escribe el número correspondiente de la siguiente tabla:

Si un síntoma es ocasional o ligero   3 puntos

Si un síntoma es frecuente   6 puntos
y/o moderadamente fuerte

Si un síntoma es grave o te deshabilita   9 puntos

Suma los puntos y escríbelo al final de la sección.

Síntoma	Puntuación
Fatiga o letargo	___
Cansancio extremo	___
Mala memoria	___
Sensación de irrealidad	___
Incapacidad de tomar decisiones	___
Insensibilidad , ardor, hormigueo	___
Insomnio	___
Dolores musculares	___
Debilidad muscular o parálisis	___

Dolor o hinchazón de articulaciones   _____
Dolor abdominal   _____
Constipación   _____
Diarrea   _____
Distensión abdominal o gases   _____
Ardor vaginal, comezón o descargas   _____
Prostatitis   _____
Impotencia   _____
Pérdida de la libido   _____
Endometriosis o infertilidad   _____
Cólicos y/o otras irregularidades menstruales   _____
Tensión premenstrual   _____
Ataques de angustia o llanto   _____
Manos o pies fríos   _____
Temblores o irritabilidad cuando tienes hambre   _____

Total de la Sección B   _____

Sección C: Otros síntomas[37]

Para cada síntoma que tengas, escribe el número correcto en la columna.

    Si el síntoma es ocasional o ligero   3 puntos
    Si el síntoma es frecuente y/o moderado   6 puntos
    Si el síntoma es grave o incapacitante   9 puntos
    Suma el total al final de esta sección.

    Puntos

Somnolencia   _____
Irritabilidad o nerviosismo   _____
Falta de coordinación   _____
Incapacidad de concentrcíon   _____
Cambios frecuentes de humor   _____
Dolores de cabeza   _____
Mareo y/o pérdida del equilibrio   _____
Presión sobre los oídos o sensación de cabeza hinchada   _____
Tendencia a mostrar moretones   _____
Erupciones o comezón crónica   _____
Soriasis o erupciones recurrentes   _____
Indigestión o agruras   _____
Sensibilidad o intolerancia a los alimentos   _____
Moco en las heces   _____
Comezón en el recto   _____
Boca o garganta seca   _____
Erupciones o ampollas en la boca   _____

Mal aliento _____

Mal olor de pies, cabello o cuerpo que no se quita al bañarse _____

Congestión nasal o goteo posnasal _____

Comezón nasal _____

Dolor de garganta _____

Laringitis o pérdida de la voz _____

Tos o bronquitis recurrente _____

Dolor u opresión en el pecho _____

Dificultad para respirar o falta de aliento _____

Frecuencia urinaria, urgencia o incontinencia _____

Ardor al orinar _____

Visión errática o puntos frente a los ojos _____

Ardor o lagrimeo en los ojos _____

Infecciones recurrentes o flujo en los oídos _____

Dolor de oídos o sordera _____

Total de puntos Sección C _____

Total Sección A _____

Total Sección B _____

Gran total (Suma de A+B+C) _____

El gran total ayudará a ti y a tu terapeuta si tus problemas de salud están relacionados con el fermento. La puntuación para las mujeres será un poco más alta dado que siete puntos se aplican exclusivamente a las mujeres, mientras que solamente dos son exclusivos para hombres.

* Problemas de la salud relacionados con el fermento casi seguramente están presentes en mujeres con puntuaciones arriba de 180 y en hombres arriba de 140.

* Problemas de la salud relacionados con el fermento probablemente estén presentes en mujeres con puntuaciones arriba de 120 y en hombres arriba de 90.

* Problemas de la salud relacionados con el fermento están posiblemente presentes en mujeres con puntuaciones arriba de 60 y en hombres arriba de 40.

* Puntuaciones menores de 60 en mujeres y en hombres menores de 40 indican que es menos probable que el fermento esté causando problemas de salud.

Alimentos que debes comer

PROTEÍNA ANIMAL (LIBRE DE ANTIBIÓTICOS Y HORMONAS, EN LA MEDIDA DE LO POSIBLE).

Res, búfalo, cordero (que hayan sido alimentados de pasto, 85 a 115 gramos, una o dos veces al mes; la mayoría de la gente con esclerosis múltiple reacciona mejor si evita el consumo de carne roja porque ésta aumenta la inflamación; preparar de término medio o bien cocida).
Pollo
Pato
Huevo
Pescado (no mariscos)
Pavo

ACEITES (QUE SE OBTIENEN DE PRENSA FRÍA SOLAMENTE)

Aceite de coco (se puede usar para cocinar)
Aceite de linaza (no es para cocinar)
Aceite de semilla de uva (se puede usar para cocinar)
Aceite de oliva (se puede usar para cocinar)
Aceite de ajonjolí (se puede usar para cocinar)
Aceite de girasol (no para cocinar)
Nota: En los restaurantes come lo que sirvan; sé más exigente cuando uses aceites en casa.

GRANOS (SOLAMENTE INTEGRALES, NO REFINADOS)

Amaranto

Cebada

Panes (libres de trigo,[38] levadura, azúcar y lácteos)

Arroz integral

Trigo sarraceno

Kamut

Mijo

Avena

Pasta (de arroz integral y escanda solamente)

Quínoa

Centeno

Escanda

NUECES Y SEMILLA (CRUDAS Y SIN TOSTAR)

Almendras

Nuez de Brasil

Castañas

Avellanas

Macadamia

Mantequillas de nueces (de almendra y macadamia solamente; pueden ser crudas o tostadas)

Nuez

Piñones

Semillas de calabaza (también mantequilla de tahini cruda)

Semillas de girasol

Nuez de castilla

NOTA: Limita la cantidad a un puñito cada vez y mastica cuidadosamente.

LÁCTEOS (SIN ANTIBIÓTICOS NI HORMONAS)

Mantequilla (en pequeñas cantidades)
Mantequilla clarificada (*ghi*)

VERDURAS

Todas (con excepción del maíz y los hongos)
Papas rojas, camote y papa dulce (limitar a tres porciones a la semana en total)
Nota: Limita o evita las verduras de sombra durante los primeros tres meses (la berenjena, los jitomates, los pimientos y las papas), dado que pueden causar más inflamación.

CONDIMENTOS

Vinagre de sidra de manzana (crudo, sin filtrar; guárdalo en el refrigerador)
Mostaza en grano (o mostaza con vinagre de manzana)
Hierbas frescas (albahaca, perejil, etc...)
Mayonesa (hecha con vinagre de manzana solamente)
Pimienta
Vinagre de arroz (sin condimentar ni endulzar; guardar en el refrigerador)
Sal de mar
Especias (sin azúcar, glutamato de sodio ni aditivos). Preferir el jengibre y la cúrcuma (antiinflamatorios).

BEBIDAS

Tés herbales (de trébol rojo, de hierbabuena, verde, etc...)
Leche de almendra sin endulzar, de arroz o de soya (no más de 60 mililitros cada vez)
Agua mineral sin endulzar (marca Gerolsteiner)

Agua (filtrada, purificada o destilada)
Agua fresca de coco

FRIJOLES Y LEGUMINOSAS

Todas (excepto los chícharos y productos de soya fermentados)
NOTA: Tal vez necesites evitar este grupo durante dos o tres meses debido a reacciones alérgicas y los altos niveles de almidón que aumentan el nivel de azúcar en la sangre.

MISCELÁNEOS

Algarrobo (sin endulzar)
Salsa (sin azúcar ni vinagre, excepto vinagre de manzana)

FRUTAS

Manzanas (verdes solamente el primer mes)
Aguacate
Arándano azul (descartar si tienen mucha tierra)
Coco (pequeñas cantidades de su leche, sin endulzar)
Limas y limones
NOTA: Limita la fruta a una pieza al día, del tamaño de una manzana mediana en volumen. El aguacate y el jugo de limón pueden ser adicionales a la fruta.

EDULCORANTES

Stevia
Xylitol (sólo en pequeñas cantidades como en mentas y en pastillas)

Alimentos que debes evitar

Después de tres meses puedes regresar a los alimentos marcados con un asterisco (*). Agrega un alimento cada tercer día y revisa cómo reacciona tu cuerpo; por ejemplo, si tienes taquicardias, comezón, distensión o gases, estreñimiento, fatiga o agravamiento de los síntomas de la esclerosis múltiple. Si es así, evita esos alimentos durante tres meses más y vuelve a intentar después.

PROTEÍNA ANIMAL

Tocino (excepto tocino de pavo sin nitratos ni hormonas)
Hot dogs (excepto de pollo o pavo, sin nitratos ni hormonas)
Carne procesada o empacada
Salchichas (excepto de pollo o pavo sin azúcar, hormonas ni nitratos)
Mariscos
Atún en lata

VERDURAS

Maíz *
Hongos

LÁCTEOS

Todos los quesos, incluyendo el queso crema y el cottage
Suero de leche
Leche de vaca
Leche y queso de cabra (sin procesar) *
Helado
Margarina
Crema ácida
Yogurt

CONDIMENTOS

Catsup
Aderezo
Mermeladas y jaleas
Mayonesa (a menos que esté hecha con vinagre de manzana)
Mostaza (a menos que esté hecha con vinagre de manzana)
Pepinillos
Relish
Aderezos para ensalada (a menos que estén hechos con vinagre de manzana y sin azúcar)
Salsas con vinagre y azúcar
Salsa de soya y salsa tamari
Especias que contengan fermentos, azúcar o aditivos
Vinagres, todos (excepto de manzana, crudo y sin filtrar y de arroz sin endulzar)
Salsa inglesa

FRIJOLES Y LEGUMINOSAS

Productos de soya fermentados (miso, tempeh, etc.). Mucha gente es alérgica a los productos de soya por lo que es mejor evitarlos todos.
Chícharos*

ACEITES

De canola (está bien en pequeñas cantidades)
Aceite de maíz
Aceite de semilla de algodón
Aceites hidrogenados o parcialmente hidrogenados
Aceite de cacahuate
Aceite de soya

NUECES Y SEMILLAS

Anacardo*
Cacahuates, crema de cacahuate
Pistaches*

GRANOS

Pan (excepto los que son libres de trigo*, fermento y azúcar)
Cereales (excepto los que son libres de trigo*, fermento y aúcar)
Maíz* (tortillas y polenta)
Galletas (de trigo* y/o de harina blanca)
Kamut*
Pasta (con excepción del arroz integral y la escanda)
Pastitas
Tapioca
Harinas blancas
Harina integral de trigo*

MISCELÁNEOS

Dulces
Chocolates
Café
Galletas

Donas
Comida rápida y frita
Gelatina
Chicles (a menos que estén endulzadas con Stevia o Xylitol)
Pastillas y mentas (a menos que estén endulzadas con Stevia o Xylitol)
Panqués
Repostería
Pizzas
Alimentos procesados
Alimentos ahumados, secos, en escabeche o curados

BEBIDAS

Alcohol
Tés cafeinados (excepto el té verde)
Café (con o sin cafeína)
Jugos de fruta
Refrescos (regulares o de dieta)

FRUTAS

Albaricoque*
Plátanos*
Moras* (con excepción del arándano azul)
Cerezas*
Cítricos* (con excepción de las limas y limones)
Frutas secas (los duraznos, dátiles, higos, uvas, arándanos, ciruelas, etcétera)
Guayaba*
Uvas
Jugos (con o sin endulzar)
Mangos*
Melón*
Nectarina*

Papaya*
Durazno*
Peras*
Ciruelas*
Caqui*
Granada*

EDULCORANTES

Néctar de agave*
Edulcorantes artificiales (como el aspartame, Nutrasweet, malitol, mannitol, sacarina, sorbitol y sucralosa o Splenda)
Malta de cebada
Jarabe de arroz integral
Jarabe de maíz
Dextrosa
Fructosa, productos endulzados con jugo de fruta
Miel (procesada o sin procesar*). La miel sin procesar se puede utilizar medicinalmente (*ver* Impulsores de energía)
Maltodextrina
Jarabe de maple
Melaza
Cristales de jugo de caña
Azúcar blanca

Reconstrucción nutricional
en cinco semanas

Modificar tu dieta para sanarte puede ser difícil. Para tener éxito deberás entender que estos cambios en tu dieta no son para privarte, sino que representan un cambio en tu estilo de vida basados en lo que ya sabes que debes hacer para desintoxicarte y reconstruir tu cuerpo y tu salud. Si tienes un mal día y comes algo que no está en tu plan, no te rindas. Solamente regresa al camino y avanza. Si dejas que te venza la culpa, lo único que harás es comer más cosas que no están en la lista.

SEMANA UNO

Elimina productos lácteos
(Menos lácteos = menos moco e inflamación)
Marca lo que has eliminado   Marca

Suero de leche	❏
Queso (suave y duro)	❏
Queso cottage	❏
Leche de vaca y de cabra (descremada, parcialmente descremada, sin lactosa)	❏
Queso de cabra (crudo*)	❏
Helado	❏
Margarina	❏
Malteadas	❏

Proteínas líquidas, en polvo o en barra
con ingredientes lácteos de vaca ❏
Crema ácida ❏
Yogurt ❏
(* Evita durante los primeros tres meses)

SEMANA DOS

Elimina carbohidratos refinados
(Menos carbohidratos refinados = menos inflamación y placa)
Marca lo que has eliminado   Marca

Bagels ❏
Pan con levadura (masa ácida, blanco, bollos, roles) ❏
Cereales (secos) ❏
Galletas ❏
Maíz* ❏
Galletas (de trigo* y de harina blanca) ❏
Donas ❏
Tortillas de harina
Pasta (arroz integral y escanda están permitidos
dos veces a la semana) ❏
Pastitas ❏
Pizza ❏
Tapioca ❏
Arroz blanco ❏
Productos con trigo integral* ❏

SEMANA TRES

Elimina el azúcar
(Menos azúcar = menos placa, dolor, inflamación y progresión
de la esclerosis múltiple)

Marca lo que has eliminado	Marca
Néctar de agave*	❏
Edulcorantes artificiales (aspartame, malitol, mannitol, sacarina, sorbitol, Splenda)	❏
Malta de cebada	❏
Jarabe de arroz integral	❏
Azúcar morena	❏
Pasteles, caramelos, cereales, goma de mascar, pastillas (excepto con Xylitol), chocolates, galletas, donas, helado, gelatinas, pastitas, pays, pudines, refrescos	❏
Jarabe de maíz	❏
Dextrosa	❏
Productos endulzados con jugos de fruta	❏
Fructosa	❏
Miel (procesada o sin procesar*)	❏
Maltodextrina	❏
Jarabe de maple	❏
Melaza	❏
Sucanat, cristales de jugo de caña evaporada azúcar turbinaza	❏
Sucralosa	❏
Azúcar blanca	❏

SEMANA CUATRO

Elimina alimentos misceláneos
(Evita químicos = menos estrés en tu cuerpo para eliminar toxinas)

Marca lo que has eliminado	Marca
Alcohol (incluso las cervezas sin alcohol, ya que tienen levadura)	❏
Castañas*	❏

Café (con o sin cafeína) ❑

Condimentos (catsup, relish, pepinillos, salsa de soya,
mermeladas, jaleas, etc…) ❑

Hongos ❑

Cacahuates ❑

Chícharos* ❑

Pistaches* ❑

Toda la comida rápida (hamburguesas con bollos,
comida frita, burritos, sándwiches, pizza, etc…) ❑

Todos los alimentos fermentados (miso, tempeh) ❑

Todos los alimentos procesados (tocino, beef jerky,
embutidos de Bologna, salchicha de puerco, etc…) ❑

Toda la comida ahumada, curada, seca y en escabeche
(tocino, Bologna, salmón ahumado) ❑

Refrescos ❑

Cigarros y drogas recreativas ❑

SEMANA CINCO

Elimina la fruta
(Menos azúcar = menos placa, dolor e inflamación)
Marca lo que has eliminado   Marca

Todas las moras (excepto el arándano azul)* ❑

Todos los cítricos (excepto limas y limones)* ❑

Todas las frutas secas (arándanos, dátiles, higos, pasas,
ciruelas, etc.) ❑

Todos los jugos de fruta (endulzados o sin endulzar) ❑

Todos los melones* ❑

Melocotones* ❑

Plátanos* ❑

Cerezas* ❑

Guayaba* ❑

Uvas ❑

Mangos* ❑

Nectarinas*   ❏

Papayas*   ❏

Ciruelas*   ❏

Duraznos*   ❏

Peras*   ❏

Persimón*   ❏

Granadas*   ❏

Ideas de platillos para la dieta de la cándida

DESAYUNO

- Huevos (revueltos, cocidos, estrellados o tibios)
- Omelets con verduras (aguacate, espinaca y cebolla)
- Cereal caliente (avena, arroz integral, hojuelas de cebada, amaranto o quínoa) con nueces, leche de almendra o arroz, canela y stevia.
- Empanadas de pavo, salchicha de pollo (sin azúcares, conservadores, hormonas o tripa de cerdo)
- Bebida de proteína con claras de huevo, cabra o polvo de proteína de arroz (sin azúcares) — ver productos recomendados. Hacerla con agua, leche de almendras si se desea y agrega tu pieza de fruta de la lista. Agrega nueces y semillas para equilibrar el pico de insulina de los carbohidratos.
- Camote en cuadritos con cebolla
- Jugo de verduras alcalinizante hecho con verduras orgánicas: 240 mililitros de jugo recién exprimido de: 3 trozos de apio, ½ manzana, ½ zanahoria pequeña, 4 o 5 puños de espinaca, berros, col negra, hojas de diente de león y/o perejil. Debe beberse con el estómago vacío (una hora antes de comer o 2 horas después de la comida). Agrega un diente de ajo y/o un trozo de una pulgada de jengibre si se desea.

- *Waffles* sin trigo o *hot cakes* con stevia, leche de almendra y canela.
- Pan libre de trigo y levadura con mantequilla de nuez o mantequilla
- *Hot cakes* de camote.
- Quiche de brócoli con harina de escanda
- Los sobrantes de la noche anterior

COMIDA Y CENA

- Ensaladas (espinaca, arúgula, verduras verdes *baby*, cebollas, germen, zanahoria, jícama, nueces, manzana verde, etc…)
- Arroz integral y verduras al vapor o salteadas
- Fideos de soba de trigo sarraceno fritos o salteados con verduras, tofu o pollo
- Hamburguesa de pavo con tiras de camote al horno
- Pescado a la parrilla, cocido o salteado (salmón, hipogloso, trucha, etc…) y verduras
- Camote al horno con verduras
- Ensalada de pollo en medio aguacate
- Estofado
- Sopas, sin lácteos y sin azúcar (pollo, pavo, poro y papa, zanahoria con apio y jengibre, lenteja, adzuki, garbanzo verde, verduras)
- Pasta de arroz integral o escanda con aceite de oliva, ajo, tomates frescos y otras verduras si se desea
- Chili con pavo
- Quínoa con verduras
- Tacos de pollo o pavo en tortillas de escanda o arroz integral, con guacamole, salsa y lechuga
- Pollo (a la parrilla, rostizado, horneado o cocido)
- Bistec de cordero o res con cebolla y espárragos salteados
- Verduras fritas con o sin pollo (con aceite de ajonjolí de prensa fría)
- Salchichas de pavo (sin nitratos, azúcar ni lácteos) con frituras de nabo horneado
- Sándwich de pollo o pavo con pan libre de trigo, levadura, lácteos y azúcar

- Sándwich de ensalada de huevo en pan libre de trigo, levadura, lácteos y azúcar (usar mayonesa con vinagre de manzana)
- Gallina de Cornualles rellena de arroz integral
- Rollos de col rellenos de calabaza con arroz integral

ACOMPAÑAMIENTOS

- Ensalada de col
- Col verde o negra salteada con aceite de oliva y vinagre de manzana
- Adzuki o garbanzos verdes
- Pepinos rebanados con vinagre de arroz y sal de mar
- Pilaf de arroz integral
- Puré de camote con leche (sustituir con leche de almendra) y aceite de oliva
- Alcachofas con mantequilla derretida o mayonesa con vinagre de manzana
- Cebollas y calabazas salteadas
- Ensalada fría de arroz integral con vinagre de manzana, verduras y especias
- Camote con mantequilla
- Espárragos salteados con semillas tostadas de ajonjolí y aceite de ajonjolí
- Nuez de Cuba machacada y horneada con un poco de mantequilla y Stevia
- Quínoa con especias
- Mijo con hierbas y aceite de oliva o salsa de tomate
- Brócoli y aceite de oliva
- Cebada con mantequilla
- Ejotes salteados con aceite de oliva y especias
- Cebolla salteada con mantequilla
- Frituras de nabo al horno con aceite de oliva
- Arroz basmati con nueces o almendra rebanada en comino y aceitunas
- Germen fresco (brócoli, alfalfa, rábano, girasol) con limón o con vinagre de manzana

POSTRES Y COLACIONES

- Pan libre de trigo, levadura, lácteos y azúcar con almendras, mantequilla o tahini de ajonjolí, una gota de stevia y canela
- Huevo cocido
- Pasteles de arroz integral o galletas de arroz con mantequilla de almendra, nuez macadamia o semillas de calabaza
- Verduras picadas (zanahoria, jícama, frijoles verdes)
- Humus con galletas de centeno marca Wasa Light
- Apio con mantequilla de almendras, nuez macadamia o semillas de calabaza
- Una pieza de fruta
- Salsa de manzana sin endulzar; media taza espolvoreada con canela
- Manzana al horno con canela y nuez
- *Brownies* de arveja (buscar en los libros de recetas o en Internet y usar harina integral sin trigo y stevia)
- Galletas hechas sin trigo, lácteos o azúcares refinadas (usar stevia o mantequilla de nuez)
- Polvo de clara de huevo (marca Jay Robb, vainilla), 180 mililitros de leche de almendra (sin endulzar), un puño de arándano azul, una varita de canela y una gota de vainilla. Mezclar.

SALSAS Y ADEREZOS

- Salsa sin vinagre (excepto de manzana) ni azúcar
- Guacamole (aguacates, tomates, cebolla y especias)
- Aceite de ajonjolí de prensa fría con jengibre y ajo
- Aceite de oliva, ajo y limón (bueno sobre pasta libre de trigo)
- Jugo de lima o limón recién exprimido
- Aminoácidos de Bragg (salsa de soya sin fermentar, salado, bueno para freír)
- Aderezo italiano: 3 cucharadas de vinagre de manzana, 4 cucharadas de aceite de oliva o de linaza, 3 cucharadas de jugo de limón, 2 a 3 gotas de stevia y especias —ajo fresco o en pol-

vo, orégano, romero, tomillo, albahaca, sal de mar, pimienta, una pizca de ají de Cayena, al gusto. Mantener refrigerado
- Jugo de naranja o piña sin endulzar como marinado para pescado o pollo
- Hojuelas de algas
- Curry (leche de coco, cúrcuma, comino, jengibre y pasta de ajo)
- Salsa de crema de macadamia (15 nueces de macadamia, ½ cucharada de sal de mar, ½ jugo de limón, ¼ de taza de albahaca, 1 diente de ajo; mezclar)
- Especias: ají de Cayena, cúrcuma, jengibre, comino, epazote, cilantro, curry, canela, laurel y albahaca.

Menús de muestra para dos semanas

Los platillos marcados con un asterisco (*) están incluidos en la sección de recetas, que también abarcan las recetas no incluidas en estos menús de muestra.

SEMANA UNO

Día uno

Al despertar	2 tazas de té de trébol rojo
Desayuno	Omelet con verduras (cebolla, espinaca, aguacate)
Colación	Manzana (verde con un poco de almendras sin tostar)
Comida	Mijo al ajonjolí* con pesto sin queso* Brócoli con almendras rebanadas*
Colación	Tallos de apio con mantequilla de macadamia 2 tazas de té de trébol rojo
Cena	Salmón con jugo de limón con eneldo Ensalada verde *baby* con vinagreta italiana*

Día dos

Al despertar	2 tazas de té de trébol rojo
Desayuno	Pavo con cebolla y chayote en cuadritos
Colación	Arándano azul con semillas de calabaza

Comida	Hipogloso sellado con aderezo de wasabi con jengibre*
Colación	Jícama en rebanadas
	2 tazas de té de trébol rojo
Cena	Arroz integral con verduras fritas

Día tres

Al despertar	2 tazas de té de trébol rojo
Desayuno	Huevos poché con escanda o pan de centeno (sin levadura) con mantequilla
Colación	Verduras crudas (brócoli, zanahoria, jícama, ejotes, con una Rica Salsa Tahini*)
Comida	Pavo estilo africano*
	Ensalada de espinacas, cebolla roja y germen, con vinagreta italiana*
Colación	Almendras picantes*
	2 tazas de té de trébol rojo
Cena	Pasta de escanda con ajo, albahaca, limón y verduras

Día cuatro

Al despertar	2 tazas de té de trébol rojo
Desayuno	Avena de canela*
	1 cucharada de linaza molida con un chorrito de leche de almendra
Colacion	Huevo cocido
Comida	Fajitas de pollo con verduras, guacamole y salsa en una tortilla de arroz integral
Colación	Tapenade de aceituna* en galletas de arroz integral
	2 tazas de trébol rojo
Cena	Sopa de verduras con quínoa

Día cinco

Al despertar	2 tazas de té de trébol rojo
Desayuno	Sándwich de huevo (huevo preparado en pan sin fermento de escanda o centeno, con mayonesa, espinaca, germen y aguacate)
Colación	Semillas de girasol (un puño, crudas o tostadas en seco)
	2 tazas de té de trébol rojo
Comida	Hipogloso con salsa de nuez macadamia*
	Frituras de camote al horno con aceite de oliva
	Col negra salteada y/o ensalada de col
	Jugo alcalinizante de verduras* (240 mililitros)
Cena	Risotto hindú*
	Ensalada de arúgula, betabel y nuez de castilla*

Día seis

Al despertar	2 tazas de té de trébol rojo
Desayuno	Mezcla de verduras: chayote, hojas de mostaza, cebollín y camote
Colación	Pastelitos de arroz integral con mantequilla de almendra
Comida	Coctel de quínoa*
	Ensalada de pepino*
Colación	Manzana verde
	2 tazas de té de trébol rojo
Cena	Pollo rostizado a la Toscana*
	Alcachofas* con mantequilla o mayonesa
Postre	Galletas con chispas de arveja*

Día siete

Al despertar	2 tazas de té de trébol rojo
Desayuno	*Hot cakes* de trigo sarraceno y arándano azul*
Comida	Hamburguesa de pavo (con mostaza, cebolla, verduras *baby*, aguacate y cebolla salteada, envuelta en hoja de lechuga)
	Zanahoria en rebanadas
Colación	Pan de centeno (sin fermento) tostado con tahini y una gota de stevia y canela
	2 tazas de té de trébol rojo
Cena	Gallina de Cornualles* rellena con arroz integral
	Brotes de Bruselas y zanahorias con mantequilla
Postre	Manzana al horno* con canela

SEMANA DOS

Día uno

Al despertar	2 tazas de té de trébol rojo
Desayuno	Jugo alcalinizante* (240 mililitros)
Colación	Humus y galletas de arroz integral
Comida	Espárragos asados con semillas de ajonjolí asadas
	Salmón con aderezo de jengibre y wasabe*
	Soda cítrica*
Colación	Medio aguacate con un poco de sal de mar
	2 tazas de té de trébol rojo
Cena	Hamburguesa de quínoa
	Coleslaw asiático*

Día dos

Al despertar	2 tazas de té de trébol rojo
Desayuno	*Hot cakes* de arroz de almendras
Colación	Manzana verde
Comida	Sopa de pollo*
Colación	Apio y zanahoria
	2 tazas de té de trébol rojo
Cena	Curry de pescado* en arroz integral basmati
	Ensalada de col marinada

Día tres

Al despertar	2 tazas de té de trébol rojo
Desayuno	Huevos revueltos con verduras
Colación	Pepino y germen con vinagre de manzana
Comida	Rollo de col*
Colación	Semillas de calabaza (un puño)
	2 tazas de té de trébol rojo
Cena	*Penne* de arroz integral con piñones y verduras

Día cuatro

Al despertar	2 tazas de té de trébol rojo
Desayuno	*Hash* (pavo molido y papas picadas)
Colación	Galletas de arroz integral con mantequilla de semillas de calabaza
Comida	Sándwich de ensalada de huevo en pan de centeno o escanda sin fermento
Colación	Arándano azul con un poco de nuez de castilla
	2 tazas de té de trébol rojo
Cena	Patito rostizado*
	Poro y verduras

Día cinco

Al despertar	2 tazas de té de trébol rojo
Desayuno	Tostada de Tahini*

Colación	Un puño de almendras sazonadas
Comida	Tacos de pollo y guacamole en tortillas de escanda
Colación	Arándano azul y un poco de nuez
	2 tazas de té de trébol rojo
Cena	Bacalao con tapenade de aceituna*
	Calabacitas salteadas con ajo y aceite de oliva
	Medio camote al horno

Día seis

Al despertar	2 tazas de té de trébol rojo
Desayuno	Pollo molido con verduras
Colación	Jícama con aderezo Ranch*
Comida	Pilaf de arroz integral y salchicha de pavo
Colación	Malteada de arándano azul*
	2 tazas de té de trébol rojo
Cena	Fideos de soba de trigo sarraceno* con verduras
Postre	Galletas de avena (hechas con stevia)

Día siete

Al despertar	2 tazas de té de trébol rojo
Desayuno	Malteada de proteína de clara de huevo o cáñamo con leche de almendras* con arándano azul y stevia
Colación	Galletas de centeno con mantequilla de almendras
Comida	Arroz integral con nuez*
	Espárragos salteados
Colación	Nueces sazonadas (un puño)
	2 tazas de té de trébol rojo
Cena	Ensalada de pollo en medio aguacate
Postre	½ taza de salsa de manzana con canela

Recetas

Algunos de los ingredientes de estas recetas pueden ser agregados a tu dieta después de tres meses de adherirte estrictamente a la lista de los alimentos que debes evitar. Usa esta información como referencia.

Quiero agradecer de manera especial a Julie Jones-Ufkes por sus recetas.

Bebidas

Chai latte
Té de *chai latte* descafeinado (caliente o frío)
Un chorrito de leche de almendra sin endulzar

Soda cítrica
Agua mineral
Rodaja de limón fresca
Una gota de stevia líquido

Ginger Ale
3 ½ tazas de agua
¾   de taza de jengibre pelado y picado
2   cucharadas de vainilla
1   cucharada de extracto de limón
¾   de stevia en polvo
    Agua mineral (marca Gerolsteiner)

Hierve rápidamente el jengibre en agua durante diez minutos. Cuela y guarda el líquido en una jarra. Agrega la vainilla, el limón y la stevia. En-

233

fría y guarda en el refrigerador. Agrega el agua mineral para que quede en la concentración deseada.

Jugo alcalinizante de verduras

3 tallos de apio
½ zanahoria pequeña
½ manzana verde (sin semillas)
4 a 5 puños de espinaca, berros, col, hojas de diente de león y/o perejil
1 diente de ajo pelado y/o una pulgada de jengibre rebanado

Coloca los ingredientes en el extractor de jugos y bebe inmediatamente con el estómago vacío o dos horas después de comer.

Malteada de semillas de amapola con limón

60 mililitros de leche de coco (que no sea baja en grasa), de almendra o de arroz, sin endulzar
240 mililitros de agua purificada
¼ de extracto natural de limón sin alcohol
1 cucharada de semillas de amapola
1 cucharada de aceite de linaza
2 cucharadas de claras de huevo con vainilla Jay Robb o polvo de proteína Goatein (de Garden Life)
1 cucharada de mantequilla de nuez (almendra o macadamia)

Coloca todos los ingredientes en la licuadora y mezcla.

Malteada de arándano azul

60 mililitros de leche de coco (que no sea baja en grasa), de almendra o de arroz, sin endulzar
1 puño de arándanos azules congelados o frescos
1 cucharada de extracto de vainilla natural sin alcohol
10 a 15 gotas de stevia líquido
1 cucharada de aceite de linaza
2 cucharadas de claras de huevo de vainilla Jay Robb o polvo de proteína Hemp (Living Harvest)
1 puño de nuez de castilla o
2 cucharadas de mantequilla de nuez (almendra o macadamia)
1 cucharada de canela

Coloca todos los ingredientes en la licuadora y mezcla.

Tés herbales
Diferentes tés: lavanda/menta, té rojo, manzanilla, oolong
1 gota de stevia para endulzar, si se desea

Leche de almendra
1 copa de almendras blanqueadas
4 tazas de agua, aproximadamente, según la consistencia deseada
$1/8$ cucharada de sal de mar
1 gota de vainilla (opcional)
¾ gotas de stevia (opcional)

Coloca todos los ingredientes en la licuadora y mezcla. Sirve en una jarra de vidrio y refrigera. Dura seis días.

Salsas

Vinagreta italiana
¾ de taza de aceite de oliva extra virgen
¼ a ½ taza de vinagre de manzana crudo y sin filtrar
2 ramitas de hojas de romero
1 taza de albahaca fresca picada
3 dientes de ajo, pelados y machacados
1 cucharada de mostaza seca (opcional)
1 a 2 gotas de stevia líquida o ¼ de polvo de stevia (opcional)

Aderezo Ranch
½ limón exprimido
1 cucharada de sal de mar
1 cucharada de cebollín fresco o seco
1 cucharada de romero fresco o seco
1 cucharada de orégano fresco o seco
1 cucharada de salvia fresca o seca
1 taza de nuez macadamia
$1/3$ de taza de aceite de oliven extra virgen (presionado en frío)

Coloca todos los ingredientes en la licuadora hasta que estén suaves. Agrega agua para tener la consistencia deseada.

Aderezo de jengibre y wasabe

1 cucharada de jengibre rayado
¼ de cucharada de *horseradish*
¼ de taza de vinagre de arroz
1 cucharada de sal de mar

Salsa sabrosa de tahini

¼ de taza tahini crudo
2 gotas de stevia líquida o ¼ de cucharada de polvo de stevia
  Una pizca de ají de Cayena

Pesto sin queso

3 tazas de albahaca
¾ de taza de aceite de oliva extra virgen
1 cucharada de sal de mar
4 dientes de ajo, pelados
½ de taza de piñones tostadas
2 cucharadas de jugo de limón fresco

Combina en la licuadora y agrega a las verduras o a la pasta de arroz integral.

Tapenade de aceituna

½ taza de aceitunas negras picadas
3 cucharadas de jugo de limón
1 cucharada de aceite de oliva extra virgen
1 cucharada de sal de mar
¼ de taza de piñones tostados, finamente picados

Guacamole

1 aguacate mediano, pelado y picado
4 cucharadas de jugo de limón
1 cucharada de cebolla picada finamente
  Sal de mar al gusto
  Cilantro fresco picado, opcional

Salsa

2 tazas de tomates en cuadritos
1 cucharada de aceite de oliva extra virgen
1 cebolla mediana picada

1 cucharada de limón

1 chile jalapeño picado

  Sal de mar y pimienta al gusto

Salsa de tofu

225 g. de tofu suave (orgánico, sin glutamato monosódico)

1   cucharada de vinagre de manzana

2   dientes de ajo, pelados y rebanados

$^1/_3$ de taza de tahini

1   cucharada de cúrcuma

$^1/_4$ de cucharada de pimienta

$^1/_2$ cucharada de sal de mar

Mezcla los ingredientes hasta que estén suaves. Utiliza la mezcla en verduras y granos.

Granos

Hot cakes de arroz de almendra

1 y $^1/_2$ tazas de harina de arroz integral

$^1/_4$ de taza de harina de almendra

1   huevo

$^1/_4$ de cucharada de canela

$^2/_3$ de taza de agua

4   gotas o ½ cucharada de stevia

     Un chorrito de vainilla

     Salsa de manzana sin endulzar

Combina todos los ingredientes hasta que tengan la consistencia deseada (si es más líquida tendrás *hot cakes* más delgados). Prepara el sartén con mantequilla y cocina hasta que estén dorados. Cubre los *hot cakes* ligeramente con salsa de manzana sin endulzar antes de servir.

Hot cakes de arándano azul y trigo sarraceno

1   taza de mezcla de trigo sarraceno para *hot cakes* de Bob's Red Mill

2   cucharadas de aceite de pepitas de uva o de coco

2   huevos batidos

1   taza de leche de almendra (suficiente para obtener consistencia deseada)

1   cucharada de extracto de vainilla (sin alcohol)
½ a 1 taza de nueces picadas
½ a 1 taza de arándano azul, fresco o congelado
        Un poco de nuez moscada
15   gotas de stevia líquida
1   cucharada de polvo de proteína de claras de huevo de Jay Robb
        Salsa de manzana sin endulzar

Mezcla los huevos, el aceite, la vainilla, la stevia, la canela y la nuez moscada. Agrega la mezcla para *hot cakes*, el polvo de proteína, las nueces y los arándanos; revuelve bien después de agregar cada ingrediente. Calienta la mantequilla o el aceite de coco en una plancha a fuego de medio a bajo (si haces los *hot cakes* a fuego alto, la parte exterior se quemará antes que de que se cocine el interior). Voltea los *hot cakes* cuando notes que se vean burbujas en la parte sin cocer. Cubre con salsa de manzana sin endulzar, stevia y canela. Rinde de 4 a 5 porciones.

Mijo al ajonjolí
1 taza de mijo
3 tazas de agua
1 cucharada de sal de mar
2 cucharadas de aceite de oliva extra virgen
¼ de taza de ajonjolí crudo

Lava el mijo y cuélalo. Hierve el agua y agrega la sal de mar. Agrega el mijo, cúbrelo y deja que hierva durante 25 o 30 minutos. Reposa 5 o 10 minutos para que se haga más esponjoso. Mientras reposa el mijo, agrega semillas de ajonjolí en un sartén para freír y tuéstalas a fuego lento durante cinco minutos, revolviendo frecuentemente, hasta que estén doradas. En otro sartén agrega aceite de oliva, el mijo y el ajonjolí. Una vez que las semillas hayan adquirido un color café, agrega el aceite de oliva y el mijo. Agita la mezcla a fuego medio durante cinco minutos y sirve.

Coctel de quínoa
2 tazas de quínoa sin cocinar
²/₃ de taza de pimientos rojos picados
1 manojo de cebollitas de cambray picadas
½ taza de nueces tostadas y picadas
1 taza de vinagreta italiana al gusto

Cocina la quínoa durante 10 a 15 minutos. Filtra y deja que se enfríe. Agrega los pimientos, las cebollitas de cambray, las nueces y el aderezo. Revuelve y sirve.

Arroz integral con nuez

1 taza de arroz integral basmati, bien enjuagado (con tres cambios de agua)
1 cucharada de aceite de oliva
½ taza de piñones
   Sal de mar y pimienta al gusto

Hierve el arroz como se indica. En un sartén aparte asa los piñones a fuego lento, revolviendo frecuentemente hasta que estén ligeramente dorados. Añade aceite de oliva y el arroz cocinado. Mezcla y sazona.

Cereal de avena o de arroz integral con canela

½   taza de avena Bob's Red Mill o cereal Creamy Rice
1 ½ tazas de agua
½   cucharada de sal marina
1   cucharada de canela
   Leche de almendra o de arroz sin endulzar
¼   de taza de nueces picadas

Hierve el agua y la sal. Agrega el cereal y hierve durante 5 a 8 minutos, revolviendo ocasionalmente. Agrega la canela, agitando y cubre con nueces y un chorrito de leche de almendra o de arroz.

Platillos principales

Omelet de pico de gallo

4 huevos
   Leche de soya, almendra o arroz sin endulzar
1 aguacate rebanado
1 taza de salsa de pico de gallo

Salsa de pico de gallo

¼ de taza de cebolla picada
1 jitomate grande
¼ de cilantro picado

Jugo de limón
¼ de taza de chile jalapeño picado

Bate los huevos y la leche. Cocina como un omelet. Rellena con el aguacate y la salsa de pico de gallo.

Rollo de col
500 gramos de carne blanca de pavo molida
¼   de taza de cebolla picada
¼   de taza de piñones tostados
     Un poco de ají de Cayena
     Sal de mar y pimienta al gusto
½   de taza de puré de jitomate fresco
4 a 6 hojas de col verde
180 mililitros de caldo de verduras

Saltea el pavo, la cebollas, las especias y el puré de tomate a fuego medio durante 10 minutos, revolviendo ocasionalmente. Deja que se enfríe. Mientras enjuaga y seca las hojas de col. Pon el caldo de verduras en un refractario. Llena cada hoja con la mezcla de pavo, dobla las hojas y ponlas en el refractario. Cubre con aluminio y hornea a 325 °F durante 30 minutos.

Desayuno de calabaza moscada
1   calabaza moscada horneada
1   cucharada de mantequilla
$^1/_3$ de taza de nueces o nueces de Castilla picadas
     Especias al gusto (canela, nuez moscada, especias de pay de calabaza)
     Un poco de stevia

Cocina la mitad de la calabaza moscada boca abajo en un refractario con ¼ de pulgada de agua a 190 °C durante una hora o hasta que esté suave. Saca la cantidad deseada de la carne y cúbrela con mantequilla, nueces y especias al gusto.

Ensalada de huevo
2 huevos cocidos
1 cucharada de mayonesa

¼ de taza de cebolla picada
Sal de mar y pimienta al gusto

Ensalada de pollo

2	pechugas de pollo deshuesadas
¼	de nueces rebanadas
½	cucharada de eneldo fresco y picado
1 ½	cucharada de mayonesa
	Sal de mar y pimienta al gusto

Sopa de pollo hecha en casa

2	pechugas grandes de pollo, con piel y hueso
1	diente de ajo pelado
1	cucharada de aceite de oliva extra virgen
1	lata de 115 gramos de salsa de tomate
½	taza de zanahorias rebanadas
2	tallos de apio picados (para poner encima y para dar sabor)
1	manojo de col picada
4	papas rojas pequeñas, picadas y con piel
1 a 3	litros de agua
	Sal de mar y pimienta al gusto

Coloca todos los ingredientes en una olla de seis litros. Pon a hervir y luego baja la temperatura durante tres horas, revolviendo ocasionalmente.

Curry de pescado

1	cucharada de pasta de curry roja o verde marca Thai Kitchen
1	taza de leche de coco sin endulzar
1	cucharada de jugo de limón
3	tallos de citronela, cortada en cuatro partes
¼ a ½	kilo de pescado blanco licuado

Combina la leche de coco, el jugo de limón, la citronela y la pasta de curry en un sartén. Calienta a fuego bajo durante 5 minutos. Agrega el pescado. Cuece a fuego bajo durante 5 a 10 minutos.

Pollo frito

½	taza de brócoli cortado en pedacitos
½	taza de zanahoria rebanada

¼   de nueces de agua chinas
100 g. de pollo sin hueso ni piel en cuadritos
½   taza de cebolla rebanada
¾   de bok choy picado
1   cucharada de aminoácidos de Bragg
1   cucharada de aceite de coco
     Ajonjolí tostado

Pon un wok o un sartén a fuego medio. Agrega el aceite de coco y calienta durante tres minutos. Agrega el resto de los ingredientes, con excepción del ajonjolí. Fríelo todo a fuego alto durante otros 5 a 10 minutos. Cocina hasta que las verduras tengan la textura deseada. Cubre con el ajonjolí y sirve.

Gallina de Cornualles
2 gallinas de Cornualles
1 cebolla pelada y rebanada finamente
5 dientes de ajo, pelados y a la mitad
¼ de cucharada de tomillo fresco picado
¼ de cucharada de salvia fresca picada
¼ de cucharada de romero fresco picado
  Sal de mar y pimienta al gusto
  Mantequilla y aceite de oliva extra virgen
1 taza de arroz integral
½ taza de piñones tostados

Cocina el arroz como se indica. Mezcla con una cucharada de aceite de oliva, las hierbas y los piñones. Rellena las gallinas con la mezcla y ponlas en un refractario para rostizar. Distribuye las cebollas alrededor de ellas. Aplica la mantequilla derretida y el aceite de oliva con una brocha sobre las gallinas y sazona con sal y pimienta. Cocina a 190 °C durante una hora, bañando con el caldo ocasionalmente.

Penne de arroz integral con salchicha de pollo y verduras
500 g. de *penne* de arroz integral
2   salchichas de pollo (quitarles la piel después de cocinar)
½   pimiento rojo en cuadritos
3   jitomates en cuadritos
1   taza de arúgula fresca, lavada y picada
1   cucharada de aceite de oliva

Cocina el *penne* en agua con sal hirviendo como se indica. Asa la salchicha de pollo hasta que esté cocida y después rebana. En un sartén grande agrega aceite de oliva, los pimientos y los tomates. Sofríe durante 10 minutos. Agrega la arúgula y cocina hasta que se oscurezca. Quita del fuego, mezcla con la salchicha rebanada y el *penne* y sirve.

Hamburguesa de quínoa

1 cebolla mediana picada
3 dientes de ajo, picados
1 zanahoria rallada
1 taza de frijoles negros cocidos
½ taza de camote cocido
1 taza de quínoa cocida
1 cucharada de semillas de comino de prado
3 cucharadas de cilantro picado
2 cucharadas de pasta de tomate
1 cucharada de vinagre de manzana
  Una pizca de ají de Cayena (opcional)
  Una pizca de sal de mar

Saltea las cebollas y el ajo en un poquito de aceite de oliva. Agrega los frijoles y cocina durante dos minutos. Retira del fuego y machaca los frijoles en el sartén. Colócalos en un tazón y agrega el resto de los ingredientes. Forma las tortitas y ásalas o ponlas a la parrilla hasta que estén calientes.

Risotto hindú

1 cucharada de *ghi*
1 chile jalapeño picado
1 cucharada de semillas de comino
⅛ de cucharada de asafetida
1 taza de garbanzo verde
1 taza de arroz integral basmati
1 coliflor pequeña cortada en pedacitos
6 tazas de agua
½ taza de cúrcuma
1 ½ cucharada de sal de mar
  Pimienta negra recién molida al gusto

Calienta media cucharada de *ghi*. Agrega el chile jalapeño y las semillas de comino. Cocina hasta que las semillas se oscurezcan. Agrega la asafetida y revuelve durante 3 minutos. Agrega 4 ¼ tazas de agua, cúrcuma, sal y deja que hierva. Baja el fuego, cubre y deja cocinando, revolviendo frecuentemente, hasta que los frijoles y el arroz estén suaves (30 a 40 minutos). Agrega más agua si es necesario. Agrega pimienta negra y espolvorea el *ghi* remanente.

Pollo asado campirano a la Toscana

1 pollo para rostizar, de 1.5 kilos o más, ablandado
   Hojas de laurel al gusto (18 frescas, 12 secas)
½ limón partido a la mitad
   Varios dientes de ajo a la mitad
   Sal de mar y pimienta

Precalienta el horno a 205 °C. Enjuaga el pollo y seca. Llena la cavidad con el laurel, el limón, la sal, la pimienta y un par de dientes de ajo. Agrega sal y pimienta en todos los lados del pollo. Inserta los dientes de ajo en los huecos y en las alas. Pon el pollo en una rosticera con 2.5 centímetros de agua al fondo para evitar que el jugo se queme. Cocina a 205 °C durante 90 minutos, y después baja la temperatura a 190 °C durante 15 a 30 minutos o hasta que las patas se muevan con facilidad y los jugos estén claros.

Opcional: Haz salsa con el jugo o viértelo sobre los granos de tu preferencia.

Pato rostizado

1 pato de 2 o 2.5 kilos, completamente descongelado
   Sal del chef (*ver la receta siguiente*)
1 nabo o una zanahoria picada
2 tallos de apio picados
1 cebolla picada
2 dientes de ajo rebanados
4 cucharadas de mantequilla
4 granos de pimienta
1 hoja de laurel
   Mejorana

Sal del chef

½ taza de sal
½ taza de pimentón
½ cucharada de pimienta

1 cucharada de pimienta blanca
1 cucharada de sal de apio
1 cucharada de sal de ajo (no polvo)

Mezcla todos los ingredientes para la sal del chef. Precalienta el horno a 150 °C. Cubre el fondo de un rosticero con una capa de mantequilla. Quita el cuello y las menudencias de la cavidad del pato, enjuaga en agua fría y frota el pato por dentro y por fuera con la sal del chef. Coloca el pato con el pecho hacia abajo sobre la mantequilla del rosticero. Agrega las verduras y el ajo dentro y alrededor del pato. Agrega 2 pulgadas de agua y los granos de pimienta, el laurel; espolvorea la mejorana. Cubre y cocina durante dos horas.

Saca con cuidado el pato y coloca en un plato. Déjalo enfriar bien, porque de lo contrario no quedará bien. Corta el pato longitudinalmente levántalo del cuello y córtalo con un cuchillo filoso de la cola al centro. Parte en cuatro, si lo deseas. Guarda el sobrante para hacer sopa.

Sopa de pavo con verduras de invierno
1 o 2 piernas de pavo
2   hojas de laurel
1   cucharada de perejil y tomillo secos
1   rábano chino o
2   zanahorias picadas
1   chirivía grande picada
2   nabos picados
3   tallos de apio picados
2   kilos de papas rojas
    Sal de mar y pimienta

Coloca las piernas de pavo en una sopera. Cubre con agua purificada. Agrega el laurel, el perejil y el tomillo y pon a hervir. Deja cociendo durante cuatro horas o hasta que la carne se desprenda del hueso. Cuela la sopa y quita los huesos. Pica la carne y regrésala al caldo. Agrega las verduras y cuece por una hora más. Salpimenta al gusto.

Pavo estilo africano
1 kilo de pechugas de pavo deshuesadas y sin piel, cortadas en pequeños trozos
¼ de taza de caldo de pollo o verduras
1 cebolla grande

4 dientes de ajo picados
½ cucharada de hojuelas de pimiento rojo machacadas
1 cucharada de jengibre picado o rallado
1 cucharada de sal de mar
¼ de cucharada de pimienta negra
   1 cucharada de jugo de limón

Coloca todos los ingredientes en una olla grande con tapa y cocina a fuego lento durante 8 horas. Sirve sobre el grano integral de tu preferencia.

Sirloin asado y marinado

1 kilo de sirloin asado
½ cucharada de sal de mar
½ cucharada de granos de pimienta negra molidos
1 cucharada de ajo picado
1 cucharada de jengibre fresco rayado
1 cucharada de aminoácidos de Bragg
½ cucharada de pimienta negra
5 gotas de stevia

Mezcla todos los ingredientes bien, cubre la carne con ellos y guarda en una bolsa de plástico en el refrigerador durante una hora; si es posible durante toda la noche. Asa a 220 °C durante 30 a 35 minutos. Revisa después de 15 a 20 minutos. Asegúrate de cubrir la carne con todos los sazonadores antes de cocinarla. Cuando esté en el punto deseado, corta en rebanadas.

Acompañamientos

Alcachofas

1 alcachofa por porción
1 hoja de laurel
   Sal de mar
1 cucharada de vinagre de manzana por porción
1 cucharada de mayonesa por porción

Lava las alcachofas. Corta los tallos y colócalas levantadas en un recipiente grande. Agrega de cinco a siete centímetros de agua y espolvorea la sal de mar y el laurel en el agua. Cubre y cocina a fuego medio hasta que la base esté suave (aproximadamente 45 minutos). Agrega más agua si es necesario. Mezcla la mayonesa y el vinagre de manzana para hacer la salsa.

Ejotes fritos

1 kilo de ejotes, cortados
4 cucharadas de aceite de oliva extra virgen
6 dientes de ajo picados
3 cucharadas de aceite de ajonjolí
½ cucharada de sal de mar
   Pimiento rojo molido al gusto

Calienta un wok o un sartén a fuego medio. Después de un minuto, agrega el aceite. Deja que se caliente un minuto, agrega los ejotes y sube a fuego vivo. Fríe cinco minutos o hasta que estén sellados. Agrega el ajo, la sal y el pimiento rojo y fríe durante 2 minutos más. Sirve caliente.

Brócoli con almendras rebanadas

1 brócoli grande
2 cucharadas de aceite de oliva
¼ de taza de almendras rebanadas sin tostar
   Sal de mar y pimienta para sazonar

Cuece el brócoli al vapor durante siete minutos. Fríe las almendras en un sartén a fuego bajo durante 2 a 3 minutos y agrega el aceite de oliva y el brócoli. Saltea durante 2 o 3 minutos y sirve, agregando sal y pimienta al gusto.

Ensalada de arúgula, betabel y nuez de castilla

1 manojo de arúgula bien lavada
¼ taza de cebolla roja, picada
½ taza de tomates en cuadritos
1 manzana en cuadritos
¼ de taza de betabel cocido y en cuadritos
¼ de taza de nuez de castilla, cruda o tostada en el horno a 180 °C
   durante 10 minutos
   Vinagreta italiana

Mezcla de verduras del sur
2 tazas de coles, acelgas, hojas de mostaza
1 cucharada de aceite de oliva
1 cucharada de vinagre de manzana
1 cucharada de semillas de amaranto
 Una pizca de sal de mar

Saltear hasta que estén suaves.

Ensalada marinada de col
3 a 4 tazas de col negra rebanada
2 tomates en cuadritos
1 zanahoria rayada
¼ de taza de cebolla roja en cuadritos
½ aguacate en cuadritos

Aderezo
¾ de taza de vinagre de manzana
¼ de taza de ajonjolí tostado o aceite de oliva
3 dientes de ajo picados
1 cucharada de polvo de mostaza

Mezcla la col y las verduras con la vinagreta. Marina durante cuatro horas o toda la noche en el refrigerador para que las verduras se suavicen. Agrega el aguacate al servir.

Coleslaw asiático
2 a 3 tazas de col picada
¼ de taza de rábano chino rallado
¾ de taza de cebolla de Cambray picada
1 manzana verde picada
1 taza de almendras rebanadas o de semillas de girasol
2 cucharadas de ajonjolí
 Sal de mar y pimienta al gusto

Aderezo
¼ de taza de aceite de ajonjolí
¼ de vinagre de aceite sin sazonar
2 cucharadas de jugo de limón
 Unas gotas de stevia

Coloca todos los ingredientes en una jarra y revuelve bien. Vierte sobre el *coleslaw*. Sazona con sal y pimienta.

Camote dulce

1 camote pequeño
  Mantequilla
  Stevia

Cocina el camote a 180 °C hasta que esté suave. Ábrelo y agrega la mantequilla y la stevia.

Poro y verduras

6   poros grandes
2 a 3 cucharadas de mantequilla
½ a 1 taza de caldo de verdura (agrega más si deseas consistencia de sopa)
2   manojos de espinaca, acelgas o col (o una mezcla de las tres), picados
      Un poco de nuez moscada
      Sal de mar al gusto

Corta el poro, usando solamente la parte blanca y verde clara. Rebana en mitades a lo largo, lava bien y seca. Rebana transversalmente en pedazos pequeños. Saltea el poro en un sartén grande hasta que se suavice y se desmenuce. Agrega el caldo y sazona ligeramente con la sal y la nuez moscada. Mezcla todo y cuece durante cinco minutos. Luego agrega las verduras y deja que se cocinen.

Postres y colaciones

Pudín de arveja y tofu

230 g. de tofu suave (orgánico)
3   cucharadas de polvo de arveja
½   cucharada o 4 gotas de stevia
¼   de taza de almendras molidas

Combina los ingredientes —excepto las almendras— en una licuadora hasta que la mezcla esté suave. Enfría, sirve y espolvorea las almendras encima.

Manzana con canela horneada

1 manzana Pippin mediana
1 cucharada de mantequilla suavizada
1 cucharada de canela
   Nuez moscada (opcional)

Quita ¾ del corazón de la manzana, dejando la base intacta. Mezcla la canela y la mantequilla y agrégala en la cavidad de la manzana. Coloca en un refractario con ¼ de pulgada de agua y hornea a 180 °C hasta que esté suave. Espolvorea la nuez moscada encima.

Almendras o nueces picantes

1   taza de almendras o de nueces
     Un poco de ají de Cayena
2 a 4 gotas de stevia
¼   de cucharada de sal de mar

Mezcla los ingredientes y espárcelos en una hoja de papel para hornear. Cocina en el horno a 150 °C durante 10 minutos.

Galletas con chispas de arveja

1 barra de mantequilla suavizada
¼ de polvo de stevia
1 huevo
½ cucharada de vainilla
½ taza de harina de escanda o trigo sarraceno
½ de cucharada de sal de mar
½ cucharada de bicarbonato
1 taza de rollos de avena
¼ de taza de nueces picadas
½ taza de chispas de arveja sin endulzar

Mezcla los primeros cuatro ingredientes en un cuenco. Agrega el resto de los ingredientes en ese orden. Coloca cucharadas de la mezcla en un papel para hornear y mete al horno durante 10 minutos a 190 °C.

Ann Boroch

Tahini tostado

1 rebanada de pan, libre de trigo, fermento, azúcar y lácteos
Tahini
Un poco de canela
Un poco de stevia

Mezcla el tahini, la canela y la stevia y unta en pan tostado.

Alternativas al trigo

Todas son integrales, sin refinar ni blanquear.

Almendra — mantequilla
Amaranto — cereal, harina
Cebada — hojuelas, harina, sin cáscara
Nuez — harina
Castaña — harina
Trigo Kamut — pan, cereal, galletas, harina, pasta, tortillas
Leguminosas — harinas (de frijol negro, garbanzo, garbanzo verde, frijol pinto, lentejas rojas y verdes, frijol blanco)
Mijo — harina, integral
Avena — cereal, harina, alimento
Papa — harina
Arroz integral — pan, basmati, galletas, hojuelas, tortillas, grano integral
Arroz silvestre
Centeno — grano integral, hojuelas, pan y galletas
Soya — cereal, harina, sémola
Escanda — pan, cereal, galletas, hojuelas, pasta, tortillas, grano integral
Teff — harina

Impulsores de energía

¿Buscas más energía? Intenta una o más de las siguientes sugerencias:

B_{12}

Inyecciones de vitamina B_{12} (recetadas por tu médico) cada semana durante las primeras cuatro semanas y después mensualmente. Tabletas diarias sublinguales de 1 000 mcg.

COCTEL DE TÉ DE MIEL Y ROMERO

Pon una cucharada copeteada de miel sin filtrar bajo la lengua y deja que se disuelva. Pon una cucharada de hojas de romero en 250 milililitros de agua hirviendo. Deja reposar el romero durante cinco minutos; luego cuela y bebe. La miel brinda oxígeno a tus células y es un tranquilizante que te libera de los espasmos, mientras que el romero abre los conductos de la respiración y equilibra el sistema nervioso. Este coctel es benéfico para los ataques, los espasmos y la fatiga extrema. Puedes usarlo cuando estés tratando la cándida porque tu cuerpo reconoce la emergencia y se abastece con él. Evítalo si eres alérgico a las abejas.

POLEN DE ABEJA O PROPÓLEO

Toma una cucharadita de polen de abeja y/o de propóleo y colócala bajo tu lengua a primera hora de la mañana y a media tarde. Si tienes alergias aéreas comienza lentamente y aumenta a una cucharada diaria. Evítalo si eres alérgico a las abejas.

MEZCLA DE AMINOÁCIDOS LIBRES

Toma 1 000 mg dos veces al día, antes de los alimentos.

TÉ VERDE

Una taza con cafeína en la mañana y en la tarde.

DHEA (DEHIDROPIANDROSTERONA)

Toma 10 mg diariamente, 5 mg de aerosol bajo tu lengua cuando te levantes y otro a las tres de la tarde. Puedes elevar la dosis para generar más energía. No lo tomes durante más de uno o dos meses. Ayuda a aliviar el agotamiento extremo de las glándulas adrenales.

GINSENG

El ginseng (caliente) coreano es bueno para el agotamiento extremo (hipofunción).

IMPULSORES ENDÓCRINOS

Adrenal Healt (de Gaia Herbs): tomar como se indica en el empaque para estimular la función adrenal y eliminar la fatiga.

Energy Vitality (de Gaia Herbs): te ayuda a apoyar la energía corporal cuando estás muy estresado.

Adrenozyme (de Apex): una cápsula tres veces al día con alimentos. Apoyo glandular para ayudar a equilibrar el sistema endócrino y aliviar el estrés crónico.

Thyrozyme (de Apex): una cápsula en el desayuno y en la comida. Vitamina herbal que impulsa la función tiroidea y aumenta la energía.

EJERCICIOS DE RESPIRACIÓN PROFUNDA

Con la boca cerrada, inhala (expandiendo tu estómago) y exhala (contrayendo tu estómago ligeramente) tan rápido como puedas durante 30 segundos a un minuto. Mantente concentrado en el movimiento del estómago. Al final del ejercicio, realiza de una a tres respiraciones profundas y lentas para volver a centrarte. Levántate despacio para volver a caminar.

Lista de revisión del medio ambiente

❏ Instalar purificadores de aire en casa y oficina.
❏ Instalar sistemas de filtrado de agua en casa.
❏ Eliminar cualquier crecimiento de moho en la casa.
❏ Eliminar los pesticidas y/o herbicidas sintéticos usados en plantas y en el jardín.
❏ Remover las almohadas y cobertores de plumas.
❏ Remover las canastas y las flores secas.
❏ Instalar filtros de carbón en las regaderas.
❏ Eliminar desodorantes con zirconio, aluminio y propilenglicol.
❏ Cambiar a productos naturales de cuidado personal.
❏ Cambiar a limpiadores naturales no tóxicos.

Liberadores de estrés

LA DUCHA

Quédate de pie en la ducha y deja que el agua tibia te acaricie la cabeza. Toma aliento profundo y mentalmente ríndete a permitir la liberación de todo lo negativo, estresante y atemorizante que has guardado. Cuando exhales, mira cómo todo el estrés y el miedo salen de tu cuerpo hasta la punta de tus dedos y la planta de tus pies como si fuera humo negro y desperdicio.

Cuando termines de abandonarte, imagina una luz blanca y rosa que sale de la regadera hasta tu cabeza y que baña todo tu cuerpo. La luz blanca es energía curativa universal y la rosa representa amor incondicional. Respira en ella y deja que remplace lo que dejaste salir. Inhala y siente la luz curativa en cada célula, tejido y órgano, llevando más oxígeno, energía, fuerza, valor y esperanza.

LIBERACIÓN POR LOS HOMBROS

Con la boca cerrada, inhala mientras levantas los hombros hacia tus oídos. Exhala mientras dejas caer tus hombros y costillas. Repítelo durante uno a tres minutos, aumentando lentamente la velocidad.

FLEXIONES DE GATO Y VACA

Pon las palmas de tus manos y rodillas sobre una superficie firme pero acolchonada. Con la boca cerrada, inhala mientras dejas que tu espalda se flexione hacia el piso y levanta tu cabeza para ver suavemente hacia el techo. No fuerces los movimientos. Mantén la boca cerrada mientras exhalas y dejas caer tu barba a tu pecho y la mueves en círculos hacia arriba. Hazlo durante uno a tres minutos, comienza despacio y sube la velocidad paulatinamente.

EJERCICIO

Sal a caminar. Respira, mira el paisaje, las flores, el cielo, los árboles. Nota los placeres sensuales de la madre Tierra. Nadar, practicar tai chi, qi gong, yoga y bicicleta son medios excelentes para liberar el estrés y aumentar la circulación.

ESTIRAMIENTOS DE YOGA

De pie, separa las piernas al nivel de los hombros. Dóblate sin flexionar tus rodillas y deja que tus brazos y manos caigan hasta tocar el piso. Permanece así durante un minuto, respirando profundamente.

Pon tus pies al nivel de los hombros, dobla las rodillas, baja a una posición de escuadra y respira. Mantén tus talones en el piso. Este ejercicio abre la espalda baja y es buenísimo si trabajas sentado todo el día.

ABRAZA UN ÁRBOL

Rodea con tus brazos un árbol y recarga tu cuerpo de la cintura hacia arriba contra el tronco. Siente cómo el árbol te jala el estrés desde la planta de tus pies. Inhala y exhala lentamente durante 60 segundos, liberando la tensión y el estrés de tu mente y cuerpo.

AUTOHIPNOSIS (TOMA DIEZ MINUTOS)

Acuéstate o siéntate cómodamente en una silla.

Concéntrate en un punto en la pared o mira a un objeto. Fíjalo hasta que sientas que tus párpados están pesados.

Cierra los ojos.

Date permiso de relajar cada músculo, nervio y fibra en tu cuerpo. Comienza a mandar la relajación y la luz blanca y rosa desde la cabeza para que se distribuyan en el cuero cabelludo, los músculos faciales y la mandíbula.

Siente la relajación que se mueve detrás de tu cabeza hacia tu espalda, glúteos, muslos, rodillas, pantorrillas y pies. Deja que toda la tensión, el estrés y la negatividad se vayan. Mueve la luz y la relajación a tus hombros hasta tus brazos y a tu pecho, abdomen y pelvis. Entonces muévela hacia tus piernas, rodillas y a tus tobillos y dedos.

Visualiza y siente la relajación y la luz permeando cada célula, tejido y órgano. Respira.

Permite que tu mente se detenga cinco minutos. Deja que los pensamientos conscientes crucen.

Una vez que hayas llegado a la inmovilidad durante cinco minutos, concéntrate en tu cuerpo. Inhala la luz blanca y rosa a tu cerebro y espina dorsal. Observa tu capa de mielina suave y continua. Visualiza los circuitos eléctricos trabajando de manera óptima. Si ves o sientes algún punto oscuro o en desequilibrio, dirige hacia ahí la luz blanca y rosa y exhala los desequilibrios hacia tus pies. Siente cómo entras en completo equilibrio en cada órgano y tejido.

Toma tres respiraciones profundas y regresa a tu vigilia y a tu habitación.

¡Abre tus ojos y nota la diferencia!

Técnicas de respiración

Es importante respirar profundamente cada día. La mayoría de la gente que lleva una vida estresante respira ligeramente a nivel del pecho. Sin embargo, una respiración correcta involucra la expansión completa del pecho y del abdomen comenzando desde las ingles, subiendo al estómago, a través de las costillas y al pecho. Tomar de uno a tres minutos un par de veces al día para practicar respiraciones profundas eliminará toxinas y estrés y te pondrá en tu punto de poder, en el aquí y el ahora. La adecuada respiración es crucial para apoyar el sistema inmunológico.

TÉCNICA DE RESPIRACIÓN PROFUNDA

Inhalar: la boca cerrada (o abierta si tienes sinusitis o problemas de respiración), inhala lentamente, expandiendo tu estómago, después tus costillas y luego tu pecho, contando hasta siete. Guarda el aliento siete segundos. Si tu abdomen no se mueve, pon tus manos en el abdomen bajo, al nivel del ombligo, para ayudar a entrenarte a llenar esta área con aire. No te rindas a la primera. Sigue practicando. A veces es más fácil expandir el estómago si estás acostado boca abajo. Después de que aprendas este movimiento podrás ajustarlo para respirar profundamente mientras estás sentado.

Exhalar: abre la boca ligeramente con los labios separados y exhala lentamente, haciendo ruido como si estuvieras soplando a una vela,

dejando que el aire salga primero de tu estómago, luego de las costillas y finalmente de tu pecho contando hasta siete.

Opcional: cada vez que inhales, visualiza la luz blanca y rosa que entra
a través de tu cabeza y cura cada célula, tejido y órgano de tu cuerpo.
A cada exhalación, libera cualquier desequilibrio físico, tensión, estrés,
miedo y pensamientos negativos al sentirlos irse como un humo negro
que cruza a través de las plantas de tus pies.

RESPIRACIÓN DE FUEGO
(LIMPIA LA SANGRE Y ESTIMULA EL CEREBRO)

Manteniendo tu boca cerrada, respira como si estuvieras apagando
una vela con tu nariz.
Al inhalar, expande tu estómago hacia fuera.
Al exhalar, contrae el estómago.
Inhala y exhala vigorosamente y rápido durante treinta segundos y
trabaja durante tres minutos.

RESPIRACIÓN DE LUNA
(RELAJA EL SISTEMA NERVIOSO PARASIMPÁTICO)

Forma una antena con los dedos de tu mano derecha, señalando al
techo. Bloquea tu fosa nasal derecha con tu pulgar.
Inhala larga y profundamente, mantén el aire diez segundos y exhala
por la fosa nasal izquierda.
Hazlo durante treinta segundos y repítelo durante tres minutos.

RESPIRACIÓN DE SOL
(ENERGIZA EL SISTEMA NERVIOSO SIMPÁTICO)

Haz una antena con los dedos de tu mano izquierda señalando al
techo. Tapa tu fosa nasal izquierda con tu pulgar.
Inhala larga y profundamente, mantén el aire durante diez segundos
y exhala por la fosa derecha.
Hazlo durante treinta segundos y repítelo durante tres minutos.

Ejercicios de fortalecimiento

Por Kendel Pink
Instructor de Pilates certificado
(www.pilatesinthecanyon.com)

Cuando hagas los siguientes ejercicios es importante que te muevas al exhalar en lugar de hacerlo al inhalar, y que te concentres en el abdomen, como la parte central de cada ejercicio.

CONCIENCIA DEL CENTRO MEDIO BÁSICO

Mientras estés sentado, de pie o acostado boca arriba, imagínate que jalas tu estómago frente a tu espina y de esa manera mantienes una tensión constante durante veinte segundos. Puedes hacer esto en cualquier lugar a lo largo del día; mientras manejas, lavas los trastes, comes, o te cepillas los dientes, ¡en donde sea!

ELEVACIONES PÉLVICAS DE PISO

Mientras estés sentado, de pie o acostado boca abajo, inhala hacia la región pélvica. Entonces, exhala, siente los músculos de tu pelvis levantarse lentamente como un elevador (conocido también como Kegel). Inhala y exhala y toma el primero, segundo y luego el tercer piso. Después exhala y aguanta tus músculos hacia abajo en tu región pélvica. Lentamente descansa tu piso pélvico a la posición inicial. Realiza esto tan seguido como puedas.

ROTACIÓN SENTADA

Siéntate en el piso o en la orilla de la cama, en una posición erguida con tus rodillas dobladas y tus pies en el piso o en la cama. Inhala para alargar tu espina dorsal, entonces exhala y lentamente permite que tu pelvis se enrosque debajo de ti mientras imaginas que tu espina toca el piso o la cama vértebra por vértebra. Siente una concavidad en el abdomen. Baja tanto como puedas mientras mantengas la concavidad en el abdomen (sin detenerlo, solamente en una pausa estática). Exhala y lentamente siente las paredes del abdomen jalándote hacia arriba hasta que regreses a una posición erguida. Repítelo ocho o diez veces.

CAÍDAS DE RODILLAS

Acuéstate sobre tu espalda con tus rodillas dobladas y las cuatro esquinas de tus pies haciendo contacto con el piso para mantener estabilidad. Inhala y exhala y jala tu ombligo hacia tu espina para apoyar tu espalda baja. Entonces, manteniendo tus pies en el piso, permite que las rodillas bajen al piso a tu derecha. Siente tu abdomen apoyando el peso de tus piernas y ve tan lejos como puedas aguantar el peso. Cuando llegues a la máxima posición, inhala y exhala para entonces levantar tus piernas hacia el centro, usando los músculos oblicuos de tu abdomen. Repite el movimiento hacia el lado izquierdo y alterna ocho veces por lado.

FLOTACIÓN DE PIERNAS

Acuéstate sobre tu espalda con tus rodillas dobladas y con las cuatro esquinas de tus pies en contacto con el piso. Exhala y concéntrate en usar tu abdomen bajo para levantar una pierna del piso. Cruza tu pierna para tener tu rodilla a noventa grados de tu cadera y tu espinilla paralela al techo. Entonces exhala y levanta la otra pierna. Presta atención en mantener la espalda baja pegada al piso jalando el ombligo hacia la espina. Una vez que ambas piernas están en posición, alterna bajando y levantando para que tus pies lleguen al piso y se levanten a la posición cruzada. El objetivo es mantener tu espalda baja plana sin que se arquee. Puedes aumentar tu conciencia al respecto imaginando el área de tu espalda bajo la cintura (el sacro) como una piedra triangular que se hunde en el lodo. Siente la libertad en las articulaciones de la cadera mientras se mueve con facilidad. Céntrate en el abdomen, moviendo las piernas y no las caderas.

BISAGRA Y CADERA

Acuéstate sobre tu espalda con tus rodillas dobladas y las cuatro esquinas de tus pies haciendo contacto con el piso. Imagínate que tu torso es un sándwich entre dos planchas de dos por cuatro que empiezan a la mitad de tu pecho y se extienden más allá de tus huesos púbicos y tu última vértebra. Presiona tus pies firmemente contra el piso mientras haces el mismo contacto con el abdomen y los glúteos. Levanta el torso/caderas, del piso como una sola unidad. Puedes ir hasta el nivel de los hombros, mientras mantengas la espina paralela y extendida. Si te incomoda la espalda baja, no subas tanto. Baja de nuevo al piso de la misma manera como subiste. Repite veinte veces.

PLANCHA

Arrodíllate y apoya las manos en el piso, directamente bajo los hombros y las rodillas bajo las caderas. Inhala e imagina tu espina alargarse desde la cabeza hasta la última vértebra. Usa el abdomen y jala el ombligo hacia el cielo. Desliza una pierna hacia atrás de ti, estirándola con los dedos de los pies doblados bajo el piso. Aumenta tu concentración en el ombligo hacia el cielo mientras mandas la otra pierna hacia atrás. Estarás en posición de lagartijas. Piensa en cada parte de tu cuerpo; el cuello se alarga, la espalda te apoya fuertemente sobre las manos, el abdomen levanta el torso y alarga la espina, las piernas presionan fuertemente hacia el piso (no trabes tus rodillas). Respira profundamente por la nariz y exhala con fuerza por la boca. Trata de mantener la posición durante sesenta segundos. Puedes modificar el ejercicio apoyándote con los codos y/o comenzando con las rodillas en lugar de los dedos.

269

Controladores del miedo

El miedo puede ser tu enemigo. Es el dragón, el tramposo y nuestro más grande maestro. El miedo tiene su raíz en eventos del pasado mientras que la ansiedad o angustia es el miedo terrible a lo que vendrá. Tu mejor arma contra ambos es vivir el presente, el ahora. ¡El ahora es tu lugar de poder!

PROCESO BÁSICO PARA LIDIAR CON EL MIEDO Y LA ANGUSTIA

Hay tres pasos básicos para lidiar con el miedo y la angustia

1. En primer lugar, y lo más importante, es que necesitas estar consciente de cuándo sientes miedo y cuándo tienes pensamientos de angustia. La negación solamente te paralizará.
2. En segundo lugar, hablarte a ti mismo en voz alta es una acción poderosa para dispersar el miedo y la ansiedad. Las palabras son vigorosas y su velocidad de vibración cuando son dichas en voz alta es siete veces más fuerte que las que sólo se dicen internamente. La luz y el sonido vienen juntos y aumentan la manifestación de poder de las afirmaciones cuando las dices en voz alta. Por lo tanto, inmediatamente reconoce e identifica tu miedo o angustia. Háblales en voz alta. Si estás en una situación en la que no puedas hablar en voz alta, habla silenciosamente y escucha a tu voz interna.

3. En tercer lugar, después de que reconoces tus miedos y angustias, date permiso de liberarlos y remplazarlos con pensamientos y sentimientos positivos o acciones neutrales, como respirar profundamente, beber agua, concentrarte en tu trabajo.
   Encontrarás que es útil hablarles a tus miedos como si fueran
   personas. Puedes decir: "De acuerdo, veo que te estás tratando
   de colar. Acepto que siento miedo de no tener sensibilidad en
   las piernas nuevamente. Temo no poder volver a caminar".

Deja que fluyan esas palabras y luego debes decirte: "Me doy permiso
de liberar esos pensamientos y sentimientos".

Luego remplaza tus miedos y angustias con algo pacífico y positivo: "Estoy seguro, estoy sano y completo. Puedo caminar, continua-
ré caminando y mi sistema nervioso central está mejor cada día". O
simplemente sal a caminar, respira profundo; llama a un amigo o lee
un libro.

Mientras atraviesas este proceso puedes usar las siguientes vi-
sualizaciones:

- Después de reconocer tus pensamientos negativos y miedos,
  mételos en un globo enorme del color que quieras. Amarra un
  nudo y déjalo ir; observa la luz blanca que hace explotar el globo mientras se va flotando en el espacio. Visualiza tus miedos
  transformándose en pensamientos positivos.
- Visualiza un radio en tu mente. Escucha, ve y siente el volumen
  de tu miedo marcado en el número diez del radio. Empieza a
  girar el sintonizador del radio a nueve, ocho, siete… y visualiza
  tu miedo que enmudece al girar el volumen. Visualiza cómo el
  miedo desaparece cuando el volumen llega a cero.
- Imagina una cinta continua que se mueve frente a ti. Mientras
  reconoces tu miedo y ansiedad, mira cómo pasan por la cinta
  y di: "Te estoy viendo. Ahora vete a jugar afuera. No tengo
  tiempo para ti".

ILUSIONES

Muchos de los miedos están enraizados en la niñez, por lo que es importante que como adulto tomes el control sobre tu niño interno para darle seguridad y hacerlo sentir a salvo y protegido. Puedes decirle: "Ambos hemos tenido suficiente de estos miedos y estoy cansado de ser maltratado. Hagamos que este patrón desaparezca y vamos a lo que sigue. Esto fue en ese momento y esto es ahora".

Las intenciones positivas seguidas por acciones positivas y la seguridad de tu niño temeroso pueden transformar la espiral negativa en positiva.

ATAQUES DE PÁNICO

Si sientes pánico, exhala todo el aire del diafragma y, al final de la exhalación, saca el aire con el sonido "ju" tres veces. Tu respiración expele al pánico. Sigue con una respiración profunda. Repite hasta que estés calmado.

Puedes frotar o presionar el área justo bajo tu manzanilla en el cuello. Esta área es un punto de acupresión que abre los pulmones para que puedas respirar profundamente y te ayuda a calmarte.

La falta de oxígeno te puede provocar angustia, miedo o acelerarte. Evita respirar con flojera. Practica la respiración profunda tan a menudo como puedas en el día.

ATRAVESAR EL MIEDO

Date cuenta de que eres más grande que tus miedos y angustias. Da un paso atrás como si miraras una masa de miedo que estás sosteniendo en tu mano y recuerda que eres más que esta energía de ilusión. Recuerda todos los retos que has vencido. Haz lo que puedas para darte valor y encontrar nuevas maneras de liberar el miedo y la ansiedad.

HAZ DE LA ACCIÓN UN HÁBITO

Actúa cada vez que el miedo o la angustia lleguen. La repetición es lo que genera los hábitos, por lo que reconoce y libérate del miedo cada vez que aparezca. Si lo haces, pronto acabarás con ellos dado que lo habrás hecho retroceder en tu subconsciente con un hábito nuevo o con neutralidad sobre esas situaciones, eventos o posibilidades. La clave es tomar ventaja de la sabiduría y las lecciones que ganas de esos episodios negativos, y terminarás sintiéndote neutral en lugar de negativo.

Muestra de afirmaciones

(Ya sea al principio o al final de cada afirmación, di lo siguiente: "Fácil y sin esfuerzo".)

- Soy un espíritu expansivo, en salud y en propósitos. Soy esencial, soy completo.

- Cada célula, tejido y órgano en mi cuerpo se está curando y reparando sin esfuerzo.

- Me amo, acepto y respeto a mi cuerpo incondicionalmente.

- Permito que mi cuerpo esté sano.

- Escojo solamente pensamientos positivos y de apoyo.

- Estoy seguro en todos los lugares y espacios. Estoy guiado y protegido.

- Valgo porque existo. Existo y por lo tanto valgo.

- Soy paciente y tolerante.

- Soy pacífico, feliz y agradecido.

- Confío. Me dejo ir y permito a Dios entrar en mí.

- Estoy libre de miedo y ansiedad. Soy el sonido de la mente.

- Soy valiente y tenaz.

- Tengo confianza y poder.

- Mi sistema nervioso central es pleno, está balanceado y trabaja óptimamente.

- Mis músculos están equilibrados y son fuertes.

- Soy apreciado. Estoy bien como soy.

- Soy una persona exitosa, personal y profesionalmente.

Cuestionar creencias obsoletas

Realiza estos ejercicios en un ambiente cómodo donde no te molesten. Entonces comienza por desvelar tus creencias más profundamente arraigadas, preguntándote con honestidad estas preguntas:

MIS CREENCIAS SOBRE LA SALUD

Reflexiona sobre las siguientes preguntas para que llegues a la raíz de la respuesta.

- ¿Creo que puedo curarme de una enfermedad?
- ¿Creo que la esclerosis múltiple es curable?
- ¿Creo que tengo el derecho a vivir una vida saludable?
- ¿Creo que la salud está a mi alcance?
- ¿Creo que la salud es una elección?
- ¿Creo que tengo el valor y la fuerza para mejorar?

¿Mi creencia actual me hace feliz? _____

¿Tiene sentido en este momento? _____

¿Esta creencia me hace inflexible? _____

¿Es esta creencia una orden que recibí de alguien cuando no sabía que tenía el poder de escoger mis creencias (por ejemplo, cuando era niño)? _____

¿Esta creencia hace que crezca mi vida, la de los demás y mi mundo en general? _____

Ahora escojo creer (escribe tus nuevas creencias):

_____

_____

_____

_____

_____

_____

_____

_____

_____

_____

_____

_____

_____

_____

Afirma esas nuevas creencias cada día con convicción y emoción. Piensa y actúa como si fueran ciertas. Siéntelas, respíralas, afírmalas en voz alta y refléjalas hasta que sean realmente tuyas.

CREENCIAS SOBRE MÍ

Reflexiona sobre las siguientes preguntas para que llegues a la raíz de la respuesta.

- ¿Creo que mi existencia tiene valor?
- ¿Creo que mi valor está basado en la validación de los demás?
- ¿Creo que no soy lo suficientemente bueno?
- ¿Creo que amarme incondicionalmente es fundamental para mi salud?
- ¿Creo que tener un objetivo puede marcar la diferencia en el mundo?
- ¿Creo que la perfección equivale a no ser lo suficientemente bueno?
- ¿Para lidiar en contra del crecimiento imperfecto, existe siempre un espacio para crecer?

¿Mi creencia actual me hace feliz? _____

¿Tiene sentido en este momento? _____

¿Esta creencia me hace inflexible? _____

¿Es esta creencia una orden que recibí de alguien cuando no sabía que tenía el poder de escoger mis creencias (por ejemplo, cuando era niño)? _____

¿Esta creencia hace que crezca mi vida, la de los demás y mi mundo en general? _____

Ahora escojo creer (escribe tus nuevas creencias):

_____

_____

_____

_____

_____

_____

_____

_____

_____

_____

_____

_____

_____

_____

_____

_____

_____

Afirma esas nuevas creencias cada día con convicción y emoción. Piensa y actúa como si fueran ciertas. Siéntelas, respíralas, afírmalas en voz alta y refléjalas hasta que sean realmente tuyas.

MIS CREENCIAS SOBRE EL AMOR

- Reflexiona sobre las siguientes preguntas en general para que llegues a la raíz de la respuesta.
- ¿Creo que puedo ser amado?
- ¿Creo que puedo atraer a mi alma gemela?
- ¿Creo que pongo mi valor en manos de la aceptación de los otros?
- ¿Creo que puedo dar y recibir amor?
- ¿Creo que la enfermedad es una forma de obtener amor y afecto?

¿Mi creencia actual me hace feliz? _____

¿Tiene sentido en este momento? _____

¿Esta creencia me hace inflexible? _____

¿Es esta creencia una orden que recibí de alguien cuando no sabía que tenía el poder de escoger mis creencias (por ejemplo, cuando era niño)? _____

¿Esta creencia hace que crezca mi vida, la de los demás y mi mundo en general? _____

Ahora escojo creer (escribe tus nuevas creencias):

_____
_____
_____
_____
_____
_____
_____
_____
_____
_____
_____
_____
_____
_____
_____
_____

Afirma esas nuevas creencias cada día con convicción y emoción. Piensa y actúa como si fueran ciertas. Siéntelas, respíralas, afírmalas en voz alta y refléjalas hasta que sean realmente tuyas.

MIS CREENCIAS SOBRE LA ABUNDANCIA

Reflexiona sobre las siguientes preguntas para que llegues a la raíz de la respuesta.

- ¿Creo que el dinero define mi valor?
- ¿Creo que tengo carencias porque no cuento con riqueza o posesiones?
- ¿Creo que enfermarme me da una excusa para no tener éxito?
- ¿Creo que merezco la abundancia, la prosperidad y la salud?

¿Mi creencia actual me hace feliz? _____

¿Tiene sentido en este momento? _____

¿Esta creencia me hace inflexible? _____

¿Es esta creencia una orden que recibí de alguien cuando sabía que tenía el poder de escoger mis creencias (por ejemplo, cuando era niño)? _____

¿Esta creencia hace que crezca mi vida, la de los demás y mi mundo en general? _____

Ahora escojo creer (escribe tus nuevas creencias):

_____

_____

_____

_____

_____

_____

_____

_____

_____

_____

_____

_____

_____

_____

_____

_____

_____

Afirma esas nuevas creencias cada día con convicción y emoción. Piensa y actúa como si fueran ciertas. Siéntelas, respíralas, afírmalas en voz alta y refléjalas hasta que sean realmente tuyas.

MIS CREENCIAS SOBRE EL ÉXITO

Reflexiona sobre las siguientes preguntas para que llegues a la raíz de la respuesta.

- ¿Creo que tengo lo necesario para tener éxito?
- ¿Creo que estar enfermo me excusa de tomar riesgos y mover cuestionamientos pasados?
- ¿Creo que algo malo va a pasar y evitará que tenga éxito?
- ¿Creo en el miedo al fracaso y/o miedo al éxito?
- ¿Creo que tengo que luchar en la vida y que todo sucede de manera difícil?

¿Mi creencia actual me hace feliz? _____

¿Tiene sentido sentido en este momento? _____

¿Esta creencia me hace inflexible? _____

¿Es esta creencia una orden que recibí de alguien cuando no sabía que tenía el poder de escoger mis creencias (por ejemplo, cuando era niño)? _____

¿Esta creencia hace que crezca mi vida, la de los demás y mi mundo en general? _____

Ahora escojo creer (escribe tus nuevas creencias):

Afirma esas nuevas creencias cada día con convicción y emoción. Piensa y actúa como si fueran ciertas. Siéntelas, respíralas, afírmalas en voz alta y refléjalas hasta que sean realmente tuyas.

MIS CREENCIAS SOBRE LA ESPIRITUALIDAD

Reflexiona sobre las siguientes preguntas para que llegues a la raíz de la respuesta.

- ¿Creo en la esperanza?
- ¿Creo que puedo crear mi propia realidad?
- ¿Creo que tengo un objetivo en el mundo?
- ¿Creo en Dios o en una energía universal?
- ¿Creo que los pensamientos generan energía?
- ¿Creo que los miedos pueden debilitar mi sistema inmunológico?

¿Mi creencia actual me hace feliz? _____

¿Tiene sentido en este momento? _____

¿Esta creencia me hace inflexible? _____

¿Es esta creencia una orden que recibí de alguien cuando no sabía que tenía el poder de escoger mis creencias (por ejemplo, cuando era niño)? _____

¿Esta creencia hace que crezca mi vida, la de los demás y mi mundo en general? _____

Ahora escojo creer (escribe tus nuevas creencias):

_____

_____

_____

_____

_____

_____

_____

_____

_____

_____

_____

_____

_____

_____

_____

_____

Afirma esas nuevas creencias cada día con convicción y emoción. Piensa y actúa como si fueran ciertas. Siéntelas, respíralas, afírmalas en voz alta y refléjalas hasta que sean realmente tuyas.

Tabla de progreso semanal
(para seguir tu plan de tratamiento)

	L	M	M	J	V	S	D	Total
Seguí una dieta sana								
Hice yoga, ejercicio, o terapia física								
Hice ejercicios de respiración								
Mantuve mi programa de suplementos y vitaminas								
Bebí mi cuota de agua y tés herbales								
Cepillé mi piel								
Dormí lo suficiente								
Pasé al menos 15 minutos al aire libre o a la luz del sol								
Escribí en mi diario								
Dije mis afirmaciones								
Reí y sonreí								
Medité, hice mis visualizaciones o me concentré en pensamientos positivos								
Liberé miedos y me perdoné								
Leí algo relajante o inspirador								

	L	M	M	J	V	S	D	Total
Me conecté con los demás al visitar a un amigo o a un miembro de mi familia								
Me consentí con un masaje, una película, un pequeño regalo o me di palmaditas en la espalda sobre lo bien que me fue en el día								
Delegué actividades para evitar el estrés								
Recibí o di un abrazo a un ser amado o a un animal								

NOTAS

[36] Este cuestionario es una adaptación del libro de William G. Crook, *The Yeast Connection Handbook*, Professional Books, 2000. Publicado con la autorización correspondiente.

[37] F. Barmanghelidj, Your Body's Many Cries for Water,, Global Health Solutions, Inc., Falls Church, EU, 19,.

Este libro se terminó de imprimir en abril de 2008,
en Mhegacrox, Sur 113-9, núm. 2149, col. Juventino
Rosas, 08700, México, D.F.